RosettaStone®
Language Learning   Success

Curriculum Text

Italian	Level 1

Italiano

TRS-ITA1-1.1

ISBN 1-883972-07-8

Printed in the United States of America

Fairfield Language Technologies
135 West Market Street
Harrisonburg, VA 22801 USA

Telephone: 540-432-6166 or 800-788-0822 in U.S. and Canada
Fax: 540-432-0953
E-mail: info@RosettaStone.com
Web site: www.RosettaStone.com

Contenuto

TESTO

1-01   Capitolo introduttivo: nomi e preposizioni

01   una bambina
       un bambino
       un cane
       un gatto

02   un uomo
       una donna
       un'automobile
       un aereo

03   una palla
       un cavallo
       un aereo
       un elefante

04   un gatto e un'automobile
       una bambina e una donna
       un uomo e una donna
       un uomo e un bambino

05   un bambino e un cane
       un bambino e un aereo
       una ragazza e un cavallo
       una bambina e un cane

06   una ragazza su un cavallo
       un uomo su un cavallo
       una palla su un bambino
       un bambino su un cavallo

07   un bambino sotto un aereo
       un bambino sotto una palla
       un ragazzo sotto un tavolo
       un bambino e un cane

08   un bambino su un aereo
       un bambino sotto un aereo
       un ragazzo su un tavolo
       un ragazzo sotto un tavolo

09   una bambina in un'automobile
       una donna in un'automobile
       un bambino in un'automobile
       un bambino e una bambina in una barca

10   un bambino e un cane
       un bambino su un aereo
       un bambino sotto un aereo
       un bambino in un aereo

1-02   Verbi: gerundio e presente della forma progressiva

01   Il ragazzo sta saltando.
       Il cavallo sta saltando.
       La ragazza sta saltando.
       Il cane sta saltando.

02   Il bambino sta correndo.
       La donna sta correndo.
       La bambina sta correndo.
       Il cavallo sta correndo.

03   La donna sta correndo.
       La donna sta saltando.
       Le bambine stanno correndo.
       Le bambine stanno saltando.

04   Le bambine stanno camminando.
       Le bambine stanno correndo.
       Il bambino sta saltando.
       Il bambino sta camminando.

05   L'uomo e la donna stanno camminando.
       L'uomo e la donna stanno ballando.
       La donna sta camminando.
       La donna sta ballando.

06   L'uomo sta leggendo.
       La donna sta leggendo.
       L'uomo sta ballando.
       La donna sta saltando.

07   L'uomo sta correndo dietro il bambino.
       L'uomo sta cadendo.
       Il bambino sta cadendo.
       Le bambine stanno correndo dietro il bambino.

08   L'aereo sta volando.
       L'uomo sta correndo.
       L'uomo sta saltando.
       L'uomo sta cadendo.

09   La donna sta nuotando.
       L'uomo sta cadendo.
       Il bambino sta cadendo.
       Il bambino sta nuotando.

10   Il pesce sta nuotando.
       L'uccello sta volando.
       Il toro sta correndo.
       L'uccello sta nuotando.

01 Il pesce è bianco.
L'automobile è bianca.
L'automobile è rossa.
L'uccello è rosso.

01 tre
due
sei
cinque

02 L'aereo è bianco.
L'aereo è giallo.
L'automobile è bianca.
L'automobile è gialla.

02 quattro
cinque e sei
tre
due

03 L'automobile è rossa.
L'automobile è gialla.
L'automobile è bianca.
L'automobile è blu.

03 cinque e sei
tre e quattro
quattro e cinque
cinque e cinque

04 L'automobile è blu.
L'automobile è gialla.
Il gatto è nero.
L'automobile è nera.

04 quattro e quattro
tre, tre, tre
cinque e cinque
quattro, cinque, sei

05 L'automobile gialla è vecchia.
L'automobile rosa è vecchia.
L'automobile blu è nuova.
L'automobile rossa è nuova.

05 quattro, cinque, sei
cinque, sei, sette
sei, sette, otto
uno, due, tre

06 un'automobile vecchia
un'automobile nuova
una casa vecchia
una casa nuova

06 uno, due, tre
uno, due, tre, quattro
uno, due, tre, quattro, cinque
uno, due, tre, quattro, cinque, sei

07 una donna anziana
una donna giovane
una casa vecchia
una casa nuova

07 uno, due, tre
uno, due, tre, quattro, cinque
uno, due, tre, quattro, cinque, sei, sette
uno, due, tre, quattro, cinque, sei, sette, otto

08 una donna anziana
una donna giovane
un uomo anziano
un uomo giovane

08 due
uno, due, tre, quattro, cinque, sei, sette, otto,
 nove, zero
tre
cinque

09 La donna anziana ha i capelli bianchi.
La bambina ha i capelli neri.
L'uomo ha i capelli blu.
L'uomo ha i capelli rossi.

09 nove
cinque
dieci
tre

10 La donna ha i capelli lunghi.
L'uomo ha i capelli lunghi.
La donna ha i capelli corti.
L'uomo ha i capelli molto corti.

10 dieci
sei
sette
uno

1-05 Singolare e plurale: nomi e verbi nel presente, presente forma progressiva

01 una bambina
le bambine
un bambino
i bambini

02 un fiore
i fiori
un occhio
gli occhi

03 una donna
le donne
un uomo
gli uomini

04 un bambino
i bambini
un cane
i cani

05 un neonato
i neonati
un uovo
le uova

06 Un bambino sta saltando.
I bambini stanno saltando.
Una bambina sta correndo.
Le bambine stanno correndo.

07 Un uomo sta ballando.
Gli uomini stanno ballando.
Una donna sta cantando.
Le donne stanno cantando.

08 un bambino su una bicicletta
uomini sulle biciclette
Un uccello sta volando.
Gli uccelli stanno volando.

09 La bambina è seduta.
I bambini sono seduti.
una bicicletta
le biciclette

10 Il cavallo sta camminando.
I cavalli stanno camminando.
L'automobile è bianca.
Le automobili sono bianche.

1-06 Numeri e l'ora

01 Una ragazza cavalca.
Due uomini cavalcano.
Un uomo guida una motocicletta.
Due ragazzi saltano.

02 Una bambina salta.
Due bambine saltano.
quattro bambini
quattro palle

03 Il numero è tre.
Il numero è quattro.
Il numero è uno.
Il numero è due.

04 Il numero è due.
Il numero è quattro.
Il numero è cinque.
Il numero è sei.

05 Sono le due.
Sono le quattro.
Sono le sei.
Sono le tre.

06 una finestra
tre finestre
quattro finestre
cinque finestre

07 un piatto blu
un piatto giallo
Ci sono due piatti. Un piatto è giallo e un piatto
è blu.
Ci sono tre piatti. Un piatto è arancione, un
piatto è blu e un piatto è giallo.

08 un piatto
due piatti
tre piatti
dieci piatti

09 dieci dita
quindici dita
venti dita
trenta dita

10 Sono le quattro.
Sono le cinque.
Sono le sei.
Sono le sette.

1-07 Domande e risposte: pronomi personali soggetto; presente indicativo di "essere"

01 È bianco il pesce?
Sì, è bianco.

È bianca l'automobile?
Sì, è bianca.

È rossa l'automobile?
Sì, è rossa.

È rosso l'uccello?
Sì, è rosso.

02 È bianco l'aereo?
Sì, è bianco.

È bianco l'aereo?
No, è giallo.

È gialla l'automobile?
No, è bianca.

È gialla l'automobile?
Sì, è gialla.

03 È rossa l'automobile?
Sì, è rossa.

È rossa l'automobile?
No, l'automobile non è rossa. L'automobile
è gialla.

È bianca l'automobile?
Sì, lo è.

È bianca l'automobile?
No, l'automobile non è bianca. L'automobile
è blu.

04 È blu l'automobile?
Sì, è blu.

È blu l'automobile?
No, l'automobile non è blu. È gialla.

È bianco il gatto?
No, non è bianco. È nero.

È nera l'automobile?
No, l'automobile non è nera. L'automobile
è rosa.

05 È vecchia l'automobile verde?
Sì, l'automobile verde è vecchia.

È nuova l'automobile rosa?
No, non è nuova.

È vecchia l'automobile nera?
No, non è vecchia. È nuova.

È vecchia l'automobile rossa?
No, non lo è.

06 È vecchia l'automobile?
Sì, è vecchia.

È vecchia l'automobile?
No, l'automobile non è vecchia.

C'è un uomo su questa casa?
Sì, c'è.

C'è un uomo su questa casa?
No, non c'è.

07 Sta correndo la donna?
Sì, lei sta correndo.

Sta correndo la donna?
No, lei non sta correndo.

Stanno correndo le donne?
Sì, loro stanno correndo.

Stanno correndo le donne?
No, loro non stanno correndo.

08 Sta saltando il bambino?
Sì, lui sta saltando.

Stanno saltando i bambini?
Sì, loro stanno saltando.

Sta saltando il bambino?
No, lui non sta saltando.

Stanno saltando i bambini?
No, loro non stanno saltando.

09 È seduta la donna?
Sì, lo è.

Sono sedute le donne?
No, non lo sono.

Sono sedute le donne?
Sì, lo sono.

È seduta la donna?
No, non lo è.

10 Sta mangiando lui?
Sì, sta mangiando.

Sta mangiando lei?
Sì, sta mangiando.

Sta mangiando lui?
No, non sta mangiando.

Sta mangiando lei?
No, non sta mangiando.

1-08 Cibo, verbi "mangiare" e "bere"; complemento diretto

01 la frutta
il latte
la carne
il pane

02 L'uomo sta mangiando.
L'uomo sta bevendo.
La donna sta mangiando.
La donna sta bevendo.

03 La donna e la bambina stanno bevendo il latte.
L'uomo sta bevendo l'acqua.
La bambina sta bevendo il latte.
La donna sta bevendo il latte.

04 Il bambino sta mangiando il pane.
Il cavallo sta mangiando una carota.
L'uomo sta mangiando.
L'uomo sta bevendo.

05 L'uomo sta bevendo il succo d'arancia.
L'uomo sta bevendo il latte.
L'uomo sta bevendo l'acqua.
Il bambino sta mangiando il pane e la bambina sta bevendo il latte.

06 banane gialle
mele verdi e mele rosse
pomodori rossi
formaggio giallo

07 fragole rosse
uva rossa
pere verdi
mele gialle

08 Le fragole sono cibo.
Il pane è cibo.
Le palle non sono cibo.
Un cappello non è cibo.

09 banane in un cesto
pane in sacchetti
mele in casse
pomodori in un cesto

10 un tavolo con cibo
un tavolo senza cibo
un piatto con cibo
un piatto senza cibo

1-09 Abbigliamento; forma affermativa e negativa dei verbi; complementi diretti

01 un cappello bianco
un cappello nero
alcuni cappelli neri
alcuni cappelli bianchi

02 un cappello nero e un cappello marrone
alcuni cappelli grigi
un cappello viola
un cappello bianco

03 La bambina porta una maglietta bianca.
La donna porta una maglietta blu.
La donna porta una camicia bianca.
La donna porta un cappello nero.

04 Il ragazzo porta pantaloni bianchi.
Gli uomini portano blue jeans.
Gli uomini portano camicie scure e pantaloni scuri.
La donna porta una maglietta bianca e blue jeans.

05 La donna non porta un cappotto.
Una donna porta un impermeabile rosso e una donna porta un impermeabile viola.
Una donna porta un impermeabile giallo e una donna porta un impermeabile blu.
La donna porta un cappotto nero.

06 Un bambino porta una camicia blu e un bambino porta una camicia rossa.
Una donna porta una maglietta blu e una porta una camicia blu.
La donna porta una camicia bianca e una gonna nera.
La donna porta una maglietta bianca e i blue jeans.

07 L'uomo e la donna portano costumi da bagno.
L'uomo e la donna non portano costumi da bagno.
La donna porta gli occhiali.
La donna non porta gli occhiali.

08 La bambina porta una scarpa.
La bambina porta due scarpe.
Il ragazzo porta un cappello.
Il ragazzo porta due cappelli.

09 Le bambine portano camicie bianche e gonne nere.
Una bambina porta un vestito bianco e un'altra porta un vestito rosso e bianco.
Le bambine portano vestiti e cappelli.
Le bambine portano pantaloni neri.

10 La bambina non porta i calzini.
La bambina porta i calzini bianchi.
Il bambino non porta le scarpe.
Il bambino porta le scarpe.

1-10   Chi, che, che cosa, dove, di che, quale; pronomi interrogativi e aggettivi

01   Chi sta leggendo?
      La donna sta leggendo.

      Chi sta ballando?
      L'uomo sta ballando.

      Chi sta nuotando?
      Il ragazzo sta nuotando.

      Chi sta correndo?
      Il cavallo sta correndo.

02   Chi è seduto?
      Il bambino è seduto.

      Chi sta mangiando?
      L'uomo sta mangiando.

      Chi sta bevendo il latte?
      La bambina sta bevendo il latte.

      Chi è sotto il tavolo?
      Il ragazzo è sotto il tavolo.

03   Chi sta mangiando una carota?
      Il cavallo sta mangiando una carota.

      Chi sta mangiando il pane?
      Il bambino sta mangiando il pane.

      Che cosa sta volando?
      L'aereo sta volando.

      Che cosa sta volando?
      Un uccello sta volando.

04   Che cosa portano le donne?
      Una porta una camicia blu e una porta una
       maglietta blu.

      Che cosa portano le donne?
      Portano camicie bianche.

      Che cibo è questo?
      Queste sono fragole.

      Che cibo è questo?
      Questo è pane.

05   Dov'è il ragazzo?
      Il ragazzo è sotto il tavolo.

      Dov'è il ragazzo?
      Il ragazzo è sul tavolo.

      Dov'è l'uomo?
      L'uomo è sulla casa vecchia.

      Dov'è l'uomo?
      L'uomo è sulla bicicletta.

06   Di che colore è questa automobile?
      Questa automobile è rossa.

      Di che colore è questa automobile?
      Questa automobile è gialla.

      Dov'è l'automobile blu?
      Ecco l'automobile blu.

      Dov'è l'automobile bianca?
      Ecco l'automobile bianca.

07   Dove sono le banane?

      Dov'è il formaggio?

      Quale cavallo sta correndo?
      Questo cavallo sta correndo.

      Quale cavallo sta saltando?
      Questo cavallo sta saltando.

08   Quale automobile è blu?

      Quale automobile è rossa?

      Quale donna porta una camicia blu?
      Una porta una camicia blu e una porta una
       maglietta blu.

      Quale bambino sta bevendo il latte?
      La bambina sta bevendo il latte.

09   Chi ha i capelli lunghi?
      L'uomo ha i capelli lunghi.

      Che cosa sta facendo il bambino?
      Il bambino sta nuotando.

      Dov'è il bambino?
      Il bambino è su un cavallo.

      Quale bambino sta mangiando il pane?
      Il bambino sta mangiando il pane.

10   Che cosa stanno facendo la donna e la bambina?
      Stanno bevendo il latte.

      Dove sono i bambini?
      Sono in una barca.

      Quale uomo ha i capelli blu?

      Chi ha i capelli rossi?

01 un bambino su un aereo
   un bambino sotto un aereo
   un ragazzo su un tavolo
   un ragazzo sotto un tavolo

02 Le bambine stanno camminando.
   Le bambine stanno correndo.
   Il bambino sta saltando.
   Il bambino sta camminando.

03 La donna ha i capelli lunghi.
   L'uomo ha i capelli lunghi.
   La donna ha i capelli corti.
   L'uomo ha i capelli molto corti.

04 quattro, cinque, sei
   cinque, sei, sette
   sei, sette, otto
   uno, due, tre

05 Il cavallo sta camminando.
   I cavalli stanno camminando.
   L'automobile è bianca.
   Le automobili sono bianche.

06 Sono le due.
   Sono le quattro.
   Sono le sei.
   Sono le tre.

07 È vecchia l'automobile verde?
   Sì, l'automobile verde è vecchia.

   È nuova l'automobile rosa?
   No, non è nuova.

   È vecchia l'automobile nera?
   No, non è vecchia. È nuova.

   È vecchia l'automobile rossa?
   No, non lo è.

08 banane in un cesto
   pane in sacchetti
   mele in casse
   pomodori in un cesto

09 Le bambine portano camicie bianche e gonne
    nere.
   Una bambina porta un vestito bianco e un'altra
    porta un vestito rosso e bianco.
   Le bambine portano vestiti e cappelli.
   Le bambine portano pantaloni neri.

10 Che cosa portano le donne?
   Una porta una camicia blu e una porta una
    maglietta blu.

   Che cosa portano le donne?
   Portano camicie bianche.

   Che cibo è questo?
   Queste sono fragole.

   Che cibo è questo?
   Questo è pane.

2-01   Altri verbi: indicativo presente

01   Il bambino getta la palla.
La donna getta la palla.
L'uomo getta la palla.
L'uomo getta il bambino.

02   La donna prende la palla gialla.
L'uomo getta la palla.
La donna prende la palla bianca.
Il ragazzo prende il rastrello.

03   Il bambino getta la palla.
Il bambino prende la palla.
Il ragazzo in bianco calcia la palla.
Il ragazzo in rosso calcia la palla.

04   La ragazza cavalca.
Il bambino va in bicicletta.
La ragazza salta.
Il bambino corre.

05   Il bambino sorride.
Il bambino beve.
La donna è seduta.
La donna corre.

06   La donna sorride.
La donna indica.
La donna legge.
La donna parla al telefono.

07   La bambina ride.
L'uomo ride.
La bambina scrive.
L'uomo va in bicicletta.

08   Il ragazzo calcia la palla.
Il toro calcia l'uomo.
Il bambino sorride.
Il toro corre.

09   La bambina è coricata.
La bambina corre.
La bambina ride.
La bambina sorride.

10   Gli uccelli volano.
Gli uccelli nuotano.
Gli uccelli camminano.
L'uccello vola.

2-02   Persone ed animali; pronome relativo "che"

01   Lui è un bambino.
Lei è una bambina.
Lui è un uomo.
Lei è una donna.

02   Il bambino non è un adulto.
La bambina non è un'adulta.
L'uomo è un adulto.
La donna è un'adulta.

03   due adulte
un adulto e un bambino
due bambini
tre bambini

04   un'adulta e due bambine
due adulti
tre adulti
due bambini

05   Un cane è un animale.
Un pesce è un animale.
Una bambina è una persona.
Una donna è una persona.

06   Un cane non è una persona. Un cane è un
animale.
Un pesce non è una persona. Un pesce è un
animale.
Una bambina non è un'adulta.
Una donna non è una bambina. Una donna è
un'adulta.

07   una bambina e un animale
due adulti e un bambino
due adulti e due animali
un animale

08   una persona e un animale
tre persone
due persone e due animali
un animale

09   una persona che non è un uomo
una persona che non è una donna
un animale che non è un cavallo
un animale che non è un elefante

10   una persona che non è un bambino
una persona che non è un adulto
un animale che non è un gatto
un animale che non è un cane

2-03   Piccolo e grande; nomi, aggettivi qualificativi

01   un'automobile grande
un uomo con un pesce grande
un uomo con un cappello grande
un uomo con un attrezzo grande

02   un'automobile piccola
un cavallo piccolo
una tenda piccola
una palla grande e una palla piccola

03   un grande numero due
un piccolo numero due
un grande numero uno
un piccolo numero uno

04   un cavallo grande
un cavallo piccolo
un ombrello grande
un ombrello piccolo

05   un animale piccolo
un animale grande
una persona piccola
una persona grande

06   una scatola grande
una nave grande
una scatola piccola
una nave piccola

07   un televisore grande
un camion grande
un cappello piccolo
un cappello grande

08   un divano grande
un divano piccolo
un'automobile piccola
un'automobile grande

09   una palla grande
una ruota grande e una ruota piccola
una ruota grande
una palla piccola

10   una grande ruota bianca
una grande ruota nera
una grande ruota blu
una ruota grande e una ruota piccola

2-04   Forme geometriche e colori; aggettivi descrittivi; comparativi e superlativi

01   un cerchio grande
un cerchio piccolo
un quadrato grande
un quadrato piccolo

02   Il cerchio rosso è più grande del cerchio blu.
Il cerchio blu è più grande del cerchio rosso.
Il quadrato è più grande del cerchio.
Il cerchio è più grande del quadrato.

03   Il cerchio blu è più piccolo del cerchio rosso.
Il cerchio rosso è più piccolo del cerchio blu.
Il cerchio è più piccolo del quadrato.
Il quadrato è più piccolo del cerchio.

04   Il cerchio più grande è rosso.
Il cerchio più grande è blu.
Il cerchio più grande è giallo.
Il cerchio più grande è nero.

05   Il quadrato più piccolo è rosso.
Il quadrato più piccolo è blu.
Il quadrato più piccolo è giallo.
Il quadrato più piccolo è bianco.

06   un rettangolo blu
un rettangolo rosso
un rettangolo giallo
un rettangolo bianco

07   un rettangolo grande
un rettangolo piccolo
un cerchio rosso
un cerchio verde

08   un rettangolo lungo
un rettangolo corto
una donna con i capelli lunghi
una donna con i capelli corti

09   Il rettangolo verde è più lungo del rettangolo giallo.
Il rettangolo giallo è più lungo del rettangolo verde.
Il cerchio rosso è più grande del quadrato rosso.
Il quadrato rosso è più grande del cerchio rosso.

10   Il rettangolo giallo è più corto del rettangolo verde.
Il rettangolo verde è più corto del rettangolo giallo.
Il triangolo giallo è più piccolo del triangolo verde.
Il triangolo verde è più piccolo del triangolo giallo.

01 Due palle gialle sono nella sua mano destra.
Una palla gialla è nella sua mano sinistra.
Una palla gialla è nella sua mano destra.
Due palle gialle sono nella sua mano sinistra.

02 Il bicchiere di carta è nella mano destra della
donna.
La penna è nella mano destra della donna. La
carta è nella sua mano sinistra.
La donna ha due palle nella mano sinistra e due
palle nella mano destra.
La palla è nella mano destra della donna.

03 Dov'è la palla? La palla è nella sua mano
sinistra.
Dov'è la palla? La palla è nella sua mano destra.
Dov'è il cappello? La bambina tiene il cappello
nella mano destra.
Dov'è il cappello? La bambina tiene un cappello
nella mano sinistra.

04 La donna tiene il telefono nella mano sinistra.
La donna tiene il telefono nella mano destra.
La bambina ha qualcosa nella mano destra.
La bambina ha qualcosa nella mano sinistra.

05 Una donna sta indicando. Lei sta indicando con
la mano destra.
Una donna sta indicando. Lei sta indicando con
la mano sinistra.
Tutte e due le donne stanno indicando. Una sta
indicando con la mano destra e l'altra con la
mano sinistra.
Nessuna delle donne sta indicando.

06 Il microfono è nella mano destra del cantante.
Il microfono è nella mano sinistra della cantante.
L'uomo ha una chitarra nella mano destra e una
nella mano sinistra.
L'uomo sta suonando la chitarra.

07 Vietato girare a sinistra
Vietato girare a destra
Vietato parcheggiare
Vietato fare inversione di marcia

08 Quest'orologio è rotondo.
Quest'orologio è quadrato.
Questa finestra è quadrata.
Questa finestra è rotonda.

09 Questa indicazione è rettangolare.
Questa indicazione è rotonda.
Questa indicazione è quadrata.
Questa indicazione non è nè rettangolare, nè
rotonda e nè quadrata.

10 Attenzione ai canguri
Attenzione alle mucche
Attenzione ai bambini
Attenzione ai cervi

01 La donna sta correndo.
La donna non sta correndo.
Questo uomo ha capelli.
Questo uomo non ha capelli.

02 La bambina sta bevendo.
La bambina non sta bevendo.
Questo uomo porta un elmetto protettivo in testa.
Questo uomo non porta un elmetto protettivo in
testa.

03 Questa donna porta un cappello bianco.
Questa donna porta un cappello nero.
Il ragazzo porta un cappello bianco.
Il ragazzo porta un cappello nero.

04 Questa donna non porta un cappello nero. Porta
un cappello bianco.
Questa donna non porta un cappello bianco. Porta
un cappello nero.
Il ragazzo non porta un cappello nero. Porta un
cappello bianco.
Il ragazzo non porta un cappello bianco. Porta un
cappello nero.

05 Questa donna non porta un cappello nero.
Questa donna non porta un cappello bianco.
Il ragazzo non porta un cappello nero.
Il ragazzo non porta un cappello bianco.

06 Quest'aereo sta volando.
Quest'aereo non sta volando.
I bambini stanno saltando.
I bambini non stanno saltando.

07 Questo bambino non sta nuotando. Lui è seduto
nell'aereo.
Questo bambino non è seduto nell'aereo. Lui sta
nuotando.
Questa ragazza non sta camminando. Lei sta
cavalcando.
Questa ragazza non sta cavalcando. Lei sta
camminando.

08 Questo bambino non sta nuotando.
Questo bambino non è seduto nell'aereo.
Questa ragazza non sta camminando.
Questa ragazza non sta cavalcando.

09 La donna sta usando il telefono.
La bambina sta usando il telefono.
La donna sta indicando.
La donna non sta usando il telefono e non sta
indicando.

10 La donna non sta usando il telefono.
La donna non sta indicando.
L'uomo sta andando in bicicletta.
L'uomo non sta andando in bicicletta, ma è
seduto sulla bicicletta.

2-07 Soggetti vari

01 L'uomo e la donna stanno ballando.
Gli uomini e le donne stanno ballando.
Gli uomini stanno ballando.
Le donne stanno ballando.

02 L'uomo è seduto sulla bicicletta e il bambino è
seduto sul recinto.
L'uomo e il bambino sono seduti sulla bicicletta
ma non vanno in bicicletta.
L'uomo e il bambino vanno in bicicletta.
L'uomo e la donna vanno in bicicletta.

03 Il bambino è seduto per terra.
Il bambino e la bambina sono seduti per terra.
Il bambino è coricato per terra.
La donna è coricata per terra.

04 Le bambine e il bambino stanno correndo.
Le bambine sono sul tavolo e i bambini sono per
terra.
I bambini e le bambine sono sul tavolo.
Un bambino e una bambina sono per terra e una
bambina è sul tavolo.

05 La donna e il cane stanno camminando.
L'uomo e la donna sono seduti.
L'uomo e la donna stanno camminando.
L'uomo e i bambini stanno camminando.

06 L'uomo e il bambino sono nell'aereo.
La donna sta camminando e l'uomo sta andando
in bicicletta.
I bambini e le bambine stanno saltando dal
tavolo.
I bambini e le bambine sono sul tavolo.

07 La donna e il bambino hanno le palle sulla testa.
L'uomo e il bambino hanno le palle sulla testa.
La donna e il bambino sono seduti sulle sedie.
L'uomo e il bambino sono seduti.

08 Gli uomini e la donna sono seduti nell'automobile.
L'uomo e la donna sono seduti nell'automobile.
L'uomo, la ragazza e il bambino sono seduti sul
trattore.
L'uomo e il bambino sono seduti sul trattore.

09 Gli uomini e le donne sono in piedi.
Le donne sono in piedi e gli uomini sono seduti.
Le donne e un uomo sono in piedi e un uomo
è seduto.
Gli uomini e una donna sono seduti e una donna
è in piedi.

10 L'uomo e la donna sono in piedi sul muro.
L'uomo e le donne sono in piedi davanti al muro.
Le donne sono in piedi sul muro.
Le donne sono in piedi davanti al muro.

2-08 Altre preposizioni

01 L'uomo è nel camioncino.
Le banane sono nel cesto.
Questa gente è in barca.
Questa gente non è in barca.

02 Il bambino è sul recinto, e l'uomo è sulla
bicicletta.
Il cappello è sul bambino.
I bambini sono sul tavolo.
La palla è sul bambino.

03 Il bambino è sulla bicicletta.
Il bambino è accanto alla bicicletta.
Quest'uomo è su un cavallo.
Quest'uomo è accanto a un cavallo.

04 L'asino è sotto l'uomo.
L'asino non è sotto l'uomo.
La caramella è sotto lo scaffale.
Le caramelle sono nella mano dell'uomo.

05 Questo bambino è dietro l'albero.
Questo bambino è davanti all'albero.
Quest'uomo è dietro un'automobile.
Quest'uomo è davanti a un'automobile.

06 Le due scodelle sono una accanto all'altra.
Questa tazza è sul piatto.
Il numero cinque è tra l'uno e lo zero.
La scodella media è tra la scodella grande e la
scodella piccola.

07 L'uomo è accanto a due donne.
L'uomo è tra due donne.
Il cane è tra due persone.
Il cane è accanto a due persone.

08 due persone con occhiali
due persone senza occhiali
un bambino con un bastone
un bambino senza bastone

09 L'aereo è sul suolo.
L'aereo è al di sopra del suolo.
I pesci sono intorno al sommozzatore.
Le poltrone sono intorno al tavolo.

10 L'uomo è dietro la bicicletta.
L'uomo è accanto alla bicicletta.
La bicicletta è accanto all'automobile.
La bicicletta è dietro l'automobile.

2-09 Testa, faccia, mani e piedi; forma possessiva con "di" e aggettivi possessivi

01 un occhio
un naso
una bocca
una faccia

02 piedi di una persona
un orecchio
L'uomo sta toccando l'orecchio del cavallo.
zampe d'elefante

03 una testa di donna
una mano
una testa d'uomo
mani e piedi

04 tre mani
quattro mani
quattro braccia
tre braccia

05 Le mani dell'uomo sono sulle sue ginocchia.
La testa dell'uomo è nelle sue mani.
Le mani dell'uomo sono sul tavolo.
Una mano è sulla faccia dell'uomo e una è sul suo gomito.

06 Le braccia della donna sono sulle sue ginocchia.
La mano dell'uomo è sulla sua testa.
I gomiti del giovane sono sul tavolo.
Le mani dell'uomo sono sul tavolo.

07 due occhi e un naso
un naso e una bocca
una faccia
un orecchio

08 La bambina tiene un bicchiere di carta sulla bocca.
La donna tiene un bicchiere di carta sulla bocca.
Questo giovane ha del cibo in bocca.
Questo giovane non ha del cibo in bocca.

09 Lui si sta toccando il naso.
Lui si sta toccando la bocca.
Lei si sta toccando l'occhio.
Lei si sta toccando il mento.

10 La donna si sta spazzolando i capelli.
La donna sta spazzolando i capelli della bambina.
La donna si sta pettinando i capelli.
La donna sta pettinando i capelli della bambina.

2-10 Gerundio e presente della forma progressiva, passato prossimo e futuro semplice

01 La donna sta saltando.
La donna ha saltato.
Il cavallo sta saltando.
Il cavallo ha saltato.

02 Il bambino sta cadendo.
Il bambino è caduto.
Il mandriano sta cadendo.
Il mandriano è caduto.

03 La bambina sta tagliando la carta.
La bambina ha tagliato la carta.
Il bambino sta saltando nell'acqua.
Il bambino è saltato nell'acqua.

04 Il cavallo salterà.
Il bambino salterà.
Il cavallo sta saltando.
Il cavallo ha saltato.

05 La bambina taglierà la carta.
La bambina sta tagliando la carta.
La bambina ha tagliato la carta.
La bambina sta saltando.

06 Il bambino salterà nell'acqua.
Il bambino sta saltando nell'acqua.
Il bambino è saltato nell'acqua.
Questi bambini stanno saltando nell'acqua.

07 La cavallerizza cadrà.
La cavallerizza sta cadendo.
La cavallerizza è caduta.
Il bambino sta cadendo.

08 Le bambine non salteranno. Il bambino salterà.
Le bambine non saltano. Il bambino sta saltando.
Le bambine non hanno saltato. Il bambino ha saltato.
Il bambino e le bambine stanno saltando.

09 L'uomo berrà il latte.
L'uomo sta bevendo il latte.
L'uomo ha bevuto il latte.
Il bambino mangerà il pane.

10 Il bambino mangerà il pane.
Il bambino sta mangiando il pane.
Il bambino ha mangiato il pane.
Il bambino porta un cappello.

01   La donna sorride.
La donna indica.
La donna legge.
La donna parla al telefono.

02   una persona che non è un bambino
una persona che non è un adulto
un animale che non è un gatto
un animale che non è un cane

03   una scatola grande
una nave grande
una scatola piccola
una nave piccola

04   Il cerchio blu è più piccolo del cerchio rosso.
Il cerchio rosso è più piccolo del cerchio blu.
Il cerchio è più piccolo del quadrato.
Il quadrato è più piccolo del cerchio.

05   Una donna sta indicando. Lei sta indicando con
la mano destra.
Una donna sta indicando. Lei sta indicando con
la mano sinistra.
Tutte e due le donne stanno indicando. Una sta
indicando con la mano destra e l'altra con la
mano sinistra.
Nessuna delle donne sta indicando.

06   La donna sta usando il telefono.
La bambina sta usando il telefono.
La donna sta indicando.
La donna non sta usando il telefono e non sta
indicando.

07   Gli uomini e le donne sono in piedi.
Le donne sono in piedi e gli uomini sono seduti.
Le donne e un uomo sono in piedi e un uomo
è seduto.
Gli uomini e una donna sono seduti e una donna
è in piedi.

08   L'uomo è accanto a due donne.
L'uomo è tra due donne.
Il cane è tra due persone.
Il cane è accanto a due persone.

09   Lui si sta toccando il naso.
Lui si sta toccando la bocca.
Lei si sta toccando l'occhio.
Lei si sta toccando il mento.

10   Le bambine non salteranno. Il bambino salterà.
Le bambine non saltano. Il bambino sta saltando.
Le bambine non hanno saltato. Il bambino ha
saltato.
Il bambino e le bambine stanno saltando.

3-01 Descrizioni di persone; aggettivi qualificativi

01 una donna anziana
una donna giovane
un uomo giovane
un uomo anziano

02 un gruppo di ballerine
due ballerini
un gruppo di corridori
due corridori

03 Questo giovane ha i capelli corti.
Questo giovane ha i capelli lunghi.
Le due giovani hanno i capelli lunghi.
Una giovane ha i capelli lunghi e una giovane
ha i capelli corti.

04 Chi ha i capelli corti neri?
Chi ha i capelli lunghi biondi?
Chi ha i capelli lunghi castani?
Chi è calvo?

05 Questa giovane ha i capelli ricci.
Questo giovane ha i capelli ricci.
Questa giovane ha i capelli lisci.
Questo giovane ha i capelli lisci.

06 Chi ha i capelli lisci corti e neri?
Chi ha i capelli ricci lunghi e neri?
Chi ha i capelli ricci corti e neri?
Chi ha i capelli lisci lunghi e neri?

07 L'uomo a destra è grasso. L'uomo a sinistra
è snello.
Le donne sono snelle.
Le donne sono molto grasse.
L'uomo a sinistra è grasso. L'uomo a destra
è snello.

08 Il pagliaccio a sinistra è basso. Il pagliaccio a
destra è alto.
Il pagliaccio a sinistra è alto. Il pagliaccio a
destra è basso.
La donna in rosso è bassa.
La donna in rosso è alta.

09 Quale uomo alto porta gli occhiali?
Quale uomo alto non porta gli occhiali?
Quale persona bassa non porta gli occhiali?
Quale persona bassa porta gli occhiali?

10 La donna ha i capelli neri.
La donna ha i capelli lisci biondi.
La donna ha i capelli ricci biondi.
La donna ha i capelli grigi.

3-02 Aggettivi indefiniti, di quantità, comparativi

01 molti ragazzi
un bambino
molti palloncini
alcuni palloncini

02 molti cappelli
un cappello
molti ombrelli
un ombrello

03 una pagnotta di pane
molte pagnotte di pane
due pagnotte di pane
niente pane

04 un mandriano con un cavallo
un mandriano e nessun cavallo
due mandriani con parecchi cavalli
molti cappelli da mandriano e nessun mandriano

05 Quante monete ci sono? Ci sono molte monete.
Quante biglie ci sono? C'è una biglia.
Quante biglie ci sono? Ci sono alcune biglie.
Quante biglie ci sono? Ci sono molte biglie.

06 molti pomodori e alcune banane
molte mele e nessuna banana
molti pomodori e nessuna banana
molte banane e nessuna mela

07 Ci sono più poltrone che tavoli.
Ci sono più autobus che automobili.
Ci sono più pomodori che banane.
C'è lo stesso numero di uomini e donne.

08 Ci sono più persone che cavalli.
Ci sono più cavalli che persone.
Ci sono tanti ombrelli quante persone.
Ci sono più persone che ombrelli.

09 Ci sono meno cavalli che persone.
Ci sono meno persone che cavalli.
Ci sono meno ombrelli che persone.
Ci sono tanti cavalli quante persone.

10 C'è lo stesso numero di bambine e bambini.
Ci sono meno bambine che bambini.
Ci sono più bambine che bambini.
Non c'è nessuna bambina e nessun bambino.

3-03 Altro abbigliamento

01 L'uomo porta un maglione blu.
Le bambine portano i vestiti.
Il bambino porta un maglione rosso.
La donna porta un maglione viola.

02 La donna porta una camicia nera.
La donna porta pantaloni neri.
Il ragazzo porta una maglietta blu.
Il bambino porta pantaloni blu.

03 due scarpe
una scarpa
due calzini
un calzino

04 Lei porta un maglione rosso e bianco.
Lei porta una maglietta viola.
Lui porta un maglione.
Lui non porta un maglione.

05 Lei porta un maglione rosso e bianco e i jeans.
La donna porta un vestito rosso.
La donna porta un cappotto rosso.
Lei porta una gonna rossa.

06 Lui porta pantaloni corti neri e un maglione
bianco.
Una persona porta una maglietta gialla e l'altra
persona porta una maglietta rossa.
Una donna porta un vestito giallo e un'altra
donna porta un vestito rosso.
Lei non porta niente.

07 Lei porta un vestito.
Lei porta i pantaloni.
Lei porta i pantaloni corti.
Lei porta una gonna.

08 Lui porta una camicia blu.
Lui porta pantaloni blu.
Lui porta un maglione blu.
Lui porta una giacca blu.

09 Lui si sta mettendo un calzino.
Lui si sta mettendo una scarpa.
Lui si sta mettendo una camicia.
Lui si sta mettendo i pantaloni.

10 Il pagliaccio porta i pantaloni.
Il pagliaccio si sta mettendo i pantaloni.
L'uomo con gli occhiali porta un maglione.
L'uomo con gli occhiali si sta mettendo un
maglione.

3-04 Dentro, fuori; preposizioni articolate

01 Il ragazzo è seduto al tavolo.
Il ragazzo è sotto il tavolo.
I bambini sono sul tavolo.
I bambini stanno saltando alla corda.

02 Chi sta correndo? Gli uomini stanno correndo.
Chi è seduto? Il bambino è seduto.
Chi sta correndo? Le bambine stanno correndo.
Chi sta saltando? I bambini stanno saltando.

03 Quanti bambini stanno saltando? Tre bambini
stanno saltando.
Quanti bambini stanno in piedi? Tre bambini
stanno in piedi.
Quanti bambini stanno saltando? Quattro
bambini stanno saltando.
Quanti bambini sono sul tavolo? Una bambina.

04 Quante bambine portano camicie bianche? Una.
Quante bambine portano camicie bianche? Due.
Quanti bambini sono seduti? Uno.
Quanti bambini sono seduti? Due.

05 La bambina è sul tavolo. Lei sta saltando alla
corda.
Tre bambini stanno giocando. Loro stanno
giocando a saltare alla corda.
I bambini sono sul tavolo. Loro non stanno
giocando a saltare alla corda.
Il bambino sta correndo. Lui non sta saltando
alla corda.

06 La bambina sul tavolo sta saltando alla corda.
Il bambino sta girando la corda e la bambina sta
saltando.
Il bambino che non sta saltando alla corda sta
correndo.
Il bambino che non sta correndo sta saltando alla
corda.

07 Questo gatto è fuori.
Questo gatto è dentro.
Questi fiori sono fuori.
Questi fiori sono dentro.

08 Questo è l'esterno di una casa.
Questo è l'interno di una casa.
Questo è l'esterno della chiesa.
Questo è l'interno della chiesa.

09 Il bambino è coricato fuori.
Il bambino è coricato dentro.
Questo è l'esterno dell'edificio.
Questo è l'interno dell'edificio.

10 Quale bambino è dentro?
Quale bambino è fuori?
Quali bambini sono fuori?
Quali bambini sono dentro?

3-05   Altri colori e numeri

01   Di che colore è l'uovo? È blu.
      Di che colore è l'uovo? È giallo.
      Di che colore è l'uovo? È rosso.
      Di che colore è l'uovo? È rosa.

02   Quale cavallo la ragazza sta spazzolando?
      Il cavallo marrone.
      Qual è il cavallo bianco?
      Quale cavallo sta mangiando? Il cavallo grigio
      sta mangiando.
      Qual è il cavallo nero?

03   un cane nero e bianco
      un gatto nero e bianco
      un cane marrone
      un gatto bianco e marrone

04   l'erba verde e un berretto verde
      i fiori gialli
      una maglietta rossa
      un edificio bianco

05   Il cavallo è sullo sfondo giallo.
      Il cavallo è sullo sfondo viola.
      Il cavallo è sullo sfondo blu.
      Il cavallo è sullo sfondo rosso.

06   l'acqua blu
      arancione e giallo
      giallo e nero
      l'erba verde

07   due fiori rossi
      due fiori bianchi e gialli
      un fiore giallo, uno rosso e uno rosa
      i fiori rosa

08   tre
      sette
      nove
      quattro

09   dieci
      nove
      cinque palle
      sei palle

10   una palla
      due palle
      otto dita
      cinque

3-06   Animali; vero e non vero

01   Due pesci grigi stanno nuotando.
      Un pesce grigio sta nuotando.
      Un cane bianco sta camminando.
      Un gatto sta camminando.

02   un canguro
      un gregge di capre
      una mandria di mucche
      Due mucche stanno correndo.

03   molte pecore
      una tartaruga
      un leone
      un cigno nero

04   un cigno bianco
      L'uccello è seduto.
      una giraffa
      Un uccello sta volando.

05   due maiali
      un orso
      due mucche
      una tigre

06   una pecora
      un elefante
      Il cammello sta su tre zampe.
      Il cammello sta su quattro zampe.

07   Questo cavallo non è vero.
      Questo cavallo è vero.
      Quest'uccello non è vero.
      Quest'uccello è vero.

08   Queste due mucche non sono vere.
      Queste due mucche sono vere.
      Questo cavallo è vero.
      Un cavallo a dondolo non è un cavallo vero.

09   Quale gatto è vero?
      Quale gatto non è vero?
      Quale pecora non è vera?
      Quale pecora è vera?

10   La tigre bianca sta camminando.
      La tigre bianca è coricata.
      La tigre bianca si sta arrampicando.
      un drago

3-07 Persone; aggettivi qualificativi

01 La donna ha fame.
L'uomo ha fame.
La donna è piena.
L'uomo è pieno.

02 Loro hanno freddo.
Loro hanno caldo.
Lui ha freddo.
Lui ha caldo.

03 Lei è stanca.
Lei non è stanca.
Loro sono stanchi.
Loro non sono stanchi.

04 Lui è forte.
Lui è debole.
Loro non sono stanchi.
Loro hanno caldo e sono stanchi.

05 L'uomo è ammalato.
L'uomo è sano.
L'uccello è bello.
L'uccello è brutto.

06 L'uomo non è pieno.
L'uomo non ha fame.
La donna non è piena.
La donna non ha fame.

07 Il bambino e il cane sono felici.
Il bambino e il cane sono tristi.
L'uomo è felice.
La donna è triste.

08 Loro sono stanchi.
Lei è stanca. Lui non è stanco.
Lui è stanco. Loro non sono stanchi.
Lui è stanco. Lei non è stanca.

09 Lui è ammalato.
Lui ha sete.
Lui ha freddo.
Lui è ricco.

10 Qualcuno ha sete.
Qualcuno ha fame.
Questa gente non ha caldo.
Questa gente ha caldo ed è stanca.

3-08 Professioni e stati di salute; aggettivi qualificativi

01 un dottore
un'infermiera
un meccanico
una studentessa

02 un poliziotto
un dentista
un falegname
una scienziata

03 una segretaria
un cuoco
un'insegnante
un cameriere

04 Lui è imbarazzato.
Lui soffre.
Lui ha paura.
Lui è ammalato.

05 L'uomo non ha caldo.
L'uomo non ha freddo.
L'uomo ha paura.
L'uomo è dottore.

06 L'uomo è fiero di suo figlio.
L'uomo è fiero della sua automobile.
L'uomo è snello.
L'uomo è grasso.

07 una banca
un posto di polizia
Quest'uomo è ricco.
Quest'uomo preleva i soldi in una banca.

08 Lui soffre.
Lui sta cucinando.
Lei sta cucinando.
Lui è imbarazzato.

09 L'infermiera si prende cura dell'uomo.
Il dottore si prende cura dell'uomo.
Il meccanico sta riparando l'automobile.
Il dentista sta lavorando sui denti dell'uomo.

10 Il fornaio sta cuocendo il pane.
La segretaria sta scrivendo a macchina.
L'insegnante sta insegnando agli studenti.
Gli studenti stanno leggendo.

01   un braccio
due braccia
tre braccia
quattro braccia

02   Ci sono sei dita? No, ce ne sono quattro.
Ci sono tre braccia? No, ce ne sono quattro.
Ci sono quattro zampe? Sì, ce ne sono quattro.
Ci sono sei dita? No, ce ne sono cinque.

03   le zampe di un cavallo
le braccia di una persona
le zampe di un elefante
le gambe di una persona

04   La sua testa è sulle sue braccia.
Le sue mani sono sulle sue ginocchia.
La sua mano è sul suo braccio.
Le sue mani coprono i suoi occhi.

05   Il cappello è sulla sua testa.
Il cappello è sulla sua zampa.
Il cappello è nella sua mano.
Il cappello è nella sua bocca.

06   Questi sono fiori veri.
Questo è un quadro di fiori.
Questa è una donna vera.
Questo è un quadro di una donna.

07   un uomo vero
un quadro di un uomo
una statua di un uomo
un coniglio vero

08   I quadri sono sulla parete.
I quadri sono sul pavimento.
Il quadro è sulla parete.
Un quadro è sul pavimento.

09   C'è un disegno di gatti su questa maglietta.
C'è un disegno di un orso su questa maglietta.
C'è un disegno di una faccia sorridente su questa
  maglietta.
Non c'è nessun disegno su questa maglietta.

10   Quale uomo a cavallo è vero?
Quale uomo a cavallo è una statua?
Quale testa non è vera?
Quale testa è vera?

01   cinque
dieci
quindici
venti

02   Sono le due.
Sono le quattro.
Sono le sei.
Sono le otto.

03   Sono le tre e mezza.
Sono le cinque e mezza.
Sono le sette e mezza.
Sono le nove e mezza.

04   Sono le sei.
Sono le sei e mezza.
Sono le sette.
Sono le sette e mezza.

05   Sono le due.
Sono le due e un quarto.
Sono le due e mezza.
Sono le tre meno un quarto.

06   Sono le otto.
Sono le otto e un quarto.
Sono le otto e mezza.
Sono le otto meno un quarto.

07   Sono le cinque.
Sono circa le cinque.
È un po' dopo le cinque.
Sono le cinque e mezza.

08   Sono le due.
Sono circa le due.
Sono le due e mezza.
È un po' dopo le due.

09   Sono le sette.
Sono le sette e un quarto.
Sono le sette e mezza.
Sono le sette e quarantacinque.

10   Sono circa le dieci e mezza. È mattino.
Sono circa le undici e mezza del mattino.
È un po' dopo le cinque. È pomeriggio.
Sono le nove meno un quarto. È notte.

01   Quale uomo alto porta gli occhiali?
     Quale uomo alto non porta gli occhiali?
     Quale persona bassa non porta gli occhiali?
     Quale persona bassa porta gli occhiali?

02   Ci sono più persone che cavalli.
     Ci sono più cavalli che persone.
     Ci sono tanti ombrelli quante persone.
     Ci sono più persone che ombrelli.

03   Il pagliaccio porta i pantaloni.
     Il pagliaccio si sta mettendo i pantaloni.
     L'uomo con gli occhiali porta un maglione.
     L'uomo con gli occhiali si sta mettendo un
      maglione.

04   Il bambino è coricato fuori.
     Il bambino è coricato dentro.
     Questo è l'esterno dell'edificio.
     Questo è l'interno dell'edificio.

05   due fiori rossi
     due fiori bianchi e gialli
     un fiore giallo, uno rosso e uno rosa
     i fiori rosa

06   Quale gatto è vero?
     Quale gatto non è vero?
     Quale pecora non è vera?
     Quale pecora è vera?

07   Lui è forte.
     Lui è debole.
     Loro non sono stanchi.
     Loro hanno caldo e sono stanchi.

08   Il fornaio sta cuocendo il pane.
     La segretaria sta scrivendo a macchina.
     L'insegnante sta insegnando agli studenti.
     Gli studenti stanno leggendo.

09   Questi sono fiori veri.
     Questo è un quadro di fiori.
     Questa è una donna vera.
     Questo è un quadro di una donna.

10   Sono le sette.
     Sono le sette e un quarto.
     Sono le sette e mezza.
     Sono le sette e quarantacinque.

4-01   Domande e risposte: forma interrogativa dei verbi; presente e forma progressiva

01   Sta camminando la donna?
Sì, sta camminando.

Sta sorridendo il bambino?
Sì, sta sorridendo.

Stanno giocando i bambini?
Sì, stanno giocando.

Sta sorridendo la donna?
Sì, sta sorridendo.

02   Stanno saltando i bambini?
Sì, stanno saltando.

Stanno saltando i bambini?
No, sono seduti.

Sta cavalcando l'uomo?
Sì, sta cavalcando.

Sta cavalcando l'uomo?
No, sta camminando.

03   Sta suonando il violino lui?
Sì.

Sta suonando il violino lui?
No.

È la bicicletta capovolta?
No, è dritta.

È la bicicletta capovolta?
Sì, lo è.

04   È gialla l'automobile?
Sì, è gialla.

È gialla l'automobile?
No, non è gialla.

Stanno saltando i bambini?
Sì, stanno saltando.

Stanno saltando i bambini?
No, non stanno saltando.

05   Che sta facendo lei?
Sta correndo.

Che stanno facendo le persone?
Stanno camminando.

Che sta facendo lui?
Sta andando in bicicletta.

Che stanno facendo le persone?
Stanno cavalcando.

06   Che sta facendo il bambino?
Sta giocando con suo padre.

Che sta facendo il bambino?
Sta camminando.

Che sta facendo il bambino?
È coricato.

Che sta facendo il bambino?
Sta giocando con il cane.

07   Che sta facendo l'uomo?
Sta bevendo l'acqua.

Che sta facendo l'uomo?
Sta suonando la chitarra.

Che sta facendo l'uomo?
Si sta mettendo il maglione.

Che sta facendo l'uomo?
Sta seduto con suo figlio.

08   Sta cadendo lui?
Forse sta cadendo.

Sta cadendo lui?
Sì, sta cadendo.

Sta cadendo il bambino?
No, non sta cadendo.

Stanno cadendo?
No, non stanno cadendo.

09   Sta sorridendo il bambino?
Sì, sta sorridendo.

Sta sorridendo l'uomo?
No, non sta sorridendo.

Sta sorridendo lei?
Sì, sta sorridendo.

Sta sorridendo il cane?
Possono sorridere i cani?

10   È un pony?
Sì, è un pony.

È un cane?
Sì, è un cane.

È un cane?
No, è un gatto.

È un cane?
No, è un pesce.

4-02   Aperto–chiuso, separato, unito, piegato, dritto, insieme

01   La portiera è aperta.
      La portiera è chiusa.
      Gli occhi di questa donna sono aperti.
      Gli occhi di questa donna sono chiusi.

02   Gli occhi sono aperti.
      Gli occhi sono chiusi.
      La sua bocca è aperta.
      La sua bocca è chiusa.

03   Gli occhi dell'uomo sono chiusi e la sua bocca
      è aperta.
      Gli occhi dell'uomo sono aperti e la sua bocca
      è chiusa.
      La bocca della donna è aperta e i suoi occhi sono
      aperti.
      Gli occhi della donna sono chiusi e la sua bocca
      è chiusa.

04   Le sue mani sono chiuse.
      Le sue mani sono aperte.
      Una mano è aperta e una mano è chiusa.
      La sua bocca è aperta.

05   quattro braccia
      molte gambe
      quattro dita
      cinque dita del piede

06   Le mani sono unite.
      Le mani sono separate.
      I piedi sono uniti.
      I piedi sono separati.

07   I piedi dell'uomo sono uniti.
      I piedi dell'uomo sono separati.
      I piedi del bambino sono uniti.
      I piedi del bambino sono separati.

08   Le mani sono separate e i piedi sono separati.
      Le mani e i piedi sono uniti.
      I piedi sono separati e le mani sono unite.
      I piedi sono uniti e le mani sono separate.

09   L'uomo e la donna sono insieme.
      I cavalli sono insieme.
      L'uomo e la donna sono separati.
      I cavalli sono separati.

10   Le braccia della donna sono dritte.
      Le braccia della donna sono piegate.
      Le gambe dell'uomo sono piegate.
      Le gambe dell'uomo sono dritte.

4-03   Numeri da 1 a 100

01   uno
      due
      tre
      quattro

02   cinque
      sei
      sette
      otto

03   nove
      dieci
      undici
      dodici

04   tredici
      quattordici
      quindici
      sedici

05   diciassette
      diciotto
      diciannove
      venti

06   venti
      trenta
      quaranta
      cinquanta

07   sessanta
      settanta
      ottanta
      novanta

08   settantacinque
      ottantacinque
      novantacinque
      cento

09   ventidue
      trentadue
      quarantadue
      cinquantadue

10   quarantasei
      sessantasei
      ottantasei
      cento

4-04 Persone e il verbo "parlare"

01 Gorbaciov sta parlando.
Tre uomini stanno parlando.
L'uomo con la maglietta gialla sta parlando.
La donna sta parlando.

02 Quest'uomo sta parlando.
Quest'uomo sta giocando a scacchi.
Questo bambino sta parlando.
Questo bambino è coricato.

03 Il bambino sta parlando all'uomo.
L'uomo sta parlando al bambino.
La donna in blu sta parlando alla donna in rosso.
La donna sta parlando all'uomo.

04 Il bambino sta parlando dell'aereo all'uomo.
L'uomo sta parlando dell'aereo al bambino.
L'uomo sta parlando nel radiotelefono.
L'uomo sta parlando al telefono portatile.

05 Questa donna sta parlando del libro alla
bambina.
Queste due donne stanno parlando della pianta.
Questa donna non sta parlando. Sta ridendo.
Queste due ragazze non stanno parlando affatto.

06 Questa donna non sta parlando.
Questi uomini non stanno parlando.
Questi uomini stanno parlando.
Questa donna sta parlando.

07 L'uomo è al telefono.
La donna è al telefono.
L'uomo non è al telefono.
La donna non è al telefono.

08 Quale uomo può parlare?
Queste donne possono parlare.
Quale uomo non può parlare?
Queste donne non possono parlare. Sono
manichini.

09 L'uomo non può parlare ora perché sta bevendo.
L'uomo può parlare perché non sta bevendo.
Il bambino non può parlare perché è sottacqua.
Il bambino può parlare perché non è sottacqua.

10 Quale uomo non può parlare?
Quale uomo può parlare?
Quale bambino può parlare?
Quale bambino non può parlare?

4-05 Andare e venire, entrare e uscire, salire e scendere, dormire e svegliare

01 Le donne stanno venendo.
Le donne stanno andando via.
I cavalli stanno venendo.
La coppia sta andando via.

02 Sta salendo il muro.
Sta salendo le scale.
Sta scendendo le scale.
Sta salendo la scala a pioli.

03 Il gatto sta dormendo.
Il gatto non sta dormendo.
Il bambino sta dormendo.
Il bambino non sta dormendo.

04 Il gatto dorme.
Il gatto è sveglio.
Il bambino dorme.
Il bambino è sveglio.

05 La coppia sta venendo.
La coppia sta andando via.
La coppia nel parco si sta baciando.
La coppia nel parco non si sta baciando.

06 Il cavallo sta entrando nel furgone.
Il cavallo è uscito dal furgone.
Questo ragazzo sta entrando nell'acqua.
Questo ragazzo sta uscendo dall'acqua.

07 La donna sta salendo con la scala mobile.
La donna sta scendendo con la scala mobile.
L'uomo sta salendo le scale.
L'uomo sta scendendo le scale.

08 Questa gente sta salendo con la scala mobile.
Questa gente sta salendo le scale.
Questa gente sta scendendo con la scala mobile.
Questa gente sta scendendo le scale.

09 L'uomo sta salendo sull'aereo.
L'uomo sta scendendo dall'aereo.
L'uomo sta scendendo dal furgone.
L'uomo sta salendo nel furgone.

10 La coppia sta entrando nell'edificio.
La coppia sta uscendo dall'edificio.
L'uomo sta salendo nella carrozza.
L'uomo sta scendendo dalla carrozza.

4-06   Verbi vari; mentre

01   La bambina sta odorando un fiore.
La bambino sta guardando la televisione.
Il bambino sta odorando un fiore.
La bambina sta guardando la televisione.

02   La donna guiderà l'automobile.
La donna sta cavalcando.
La donna sta baciando il cavallo.
La donna sta conducendo il cavallo.

03   Il bambino sta odorando il fiore.
Il bambino non sta odorando i fiori.
La bambina si sta spazzolando i capelli.
La bambina sta ballando.

04   La donna porta un cappello.
L'uomo sta toccando lo zoccolo del cavallo.
L'uomo sta toccando l'orecchio del cavallo.
L'uomo si sta mettendo i guanti.

05   L'uomo sta salendo nella carrozza.
L'uomo sta salendo nel camion.
La donna sta baciando l'uomo.
La donna sta baciando il cavallo.

06   La bambina non guarda la televisione.
La bambina porta un cappello mentre guarda
la televisione.
La bambina si spazzola i capelli mentre guarda
la televisione.
La bambina balla mentre guarda la televisione.

07   La donna canta mentre suona il piano elettrico.
La donna beve mentre suona il piano elettrico.
La donna si spazzola i capelli mentre tiene la
borsa.
La donna scrive mentre tiene la borsa.

08   L'uomo sta cercando di prendere la pala mentre
tiene un libro.
L'uomo indica mentre tiene una pala.
L'uomo legge un libro mentre il cane è tra le sue
gambe.
L'uomo legge un libro mentre il ragazzo ascolta.

09   Una bambina tiene il cappello mentre cammina.
L'uomo beve mentre siede nella carrozza.
L'uomo è seduto sulla bicicletta mentre il
bambino si arrampica sul recinto.
I bambini guardano mentre l'uomo scrive.

10   Il bambino sale le scale mentre l'uomo guarda.
Il bambino sale le scale mentre nessuno guarda.
Questi uomini portano dei fucili mentre
camminano nell'acqua.
Questi uomini portano dei fucili mentre
marciano in una parata.

4-07   Relazioni familiari

01   una bambina e sua madre
una bambina e suo padre
un bambino e sua madre
un bambino e suo padre

02   una bambina e sua madre
una bambina e suo padre
una bambina e suo fratello
una bambina e la sua famiglia

03   il bambino e sua madre
il bambino e suo padre
il bambino e sua sorella
il bambino e la sua famiglia

04   La donna è seduta accanto a suo marito su un
divano.
La donna è in piedi con suo marito e i figli.
La donna è seduta su una sedia accanto a suo
marito.
La donna è seduta su suo marito.

05   L'uomo è seduto accanto a sua moglie su un
divano.
L'uomo è in piedi con sua moglie e i figli.
L'uomo è seduto su una sedia accanto a sua
moglie.
La moglie dell'uomo è seduta su di lui.

06   una madre e suo figlio
un padre e suo figlio
un padre e sua figlia
una madre e sua figlia

07   una sorella e il fratello e la loro madre
un marito e una moglie e la loro figlia
una sorella e il fratello con i loro genitori
una sorella e un fratello senza i loro genitori

08   Queste quattro persone sono una famiglia.
Queste quattro persone non sono una famiglia.
Queste tre persone sono nella stessa famiglia.
Queste tre persone non sono nella stessa
famiglia.

09   due genitori con i loro figli
due genitori senza i loro figli
due fratelli e il loro padre
due fratelli e la loro madre

10   due sorelle e il loro padre
due fratelli e il loro padre
un bambino con i suoi genitori
Queste persone non sono nella stessa famiglia.

4-08 Tutti, qualcuno, nessuno, qualcosa

01 Tutti portano un cappello giallo.
Tutti stanno correndo.
Tutti sono seduti.
Tutti stanno ballando.

02 Qualcuno è dietro l'albero.
Qualcuno è dietro l'uomo.
Qualcuno sta facendo una fotografia.
Qualcuno porta il giallo.

03 Tutti portano un cappello giallo.
Nessuno porta un cappello giallo.
Qualcuno sta toccando il gatto.
Nessuno sta toccando il gatto.

04 Tutti portano il bianco.
Nessuno porta il bianco.
Qualcuno porta il bianco e qualcuno non porta
 il bianco.
Il mandriano porta il bianco.

05 Tutti stanno saltando nell'acqua.
Nessuno dei tre bambini sta saltando nell'acqua.
Qualcuno sta saltando nell'acqua. Qualcuno non
 sta saltando nell'acqua.
Qualcuno sta nuotando sottacqua.

06 Qualcuno sta calciando la palla.
Nessuno sta calciando la palla.
C'è qualcuno nell'aereo? No, l'aereo è vuoto.
C'è qualcuno nell'aereo? Sì, il bambino è
 nell'aereo.

07 Qualcuno sta calciando la palla? Sì, il ragazzo.
Qualcuno sta calciando la palla? No, nessuno.
Nessuno è nell'aereo.
C'è qualcuno nell'aereo.

08 L'uomo in blu sta portando qualcosa in mano.
L'uomo in blu non sta portando qualcosa in
 mano.
Loro stanno indicando qualcosa.
Loro non stanno indicando niente.

09 Qualcuno sta cavalcando.
Nessuno sta cavalcando.
Qualcosa è sul piatto.
Niente è sul piatto.

10 Qualcosa è sul tavolo.
Niente è su nessuno dei tavoli.
Qualcuno è coricato nella tenda.
Nessuno è nella tenda.

4-09 Mezzi di trasporto

01 una motocicletta
motociclette
un autobus giallo
due autobus gialli

02 una piccola automobile rossa
una limousine bianca
un barcone rosso
un grande camion nero

03 Il camion sta trainando l'automobile.
Qualcuno sta guidando un'automobile.
L'automobile rossa è dietro il camion.
Il camion sta trainando una barca.

04 Il camion è su un ponte e sotto l'altro ponte.
Un camion e un'automobile sono sotto il ponte.
un grande ponte
L'automobile è parcheggiata davanti a una casa.

05 La bicicletta è parcheggiata.
L'uomo sta mettendo una bicicletta su un
 furgone.
La donna sta salendo sul furgone.
Le barche sono sul fiume.

06 L'automobile sta girando l'angolo.
Le automobili stanno andando nella neve.
Le automobili rosse sono in una sfilata.
L'automobile sorpassa un camion.

07 una limousine nera
un'automobile antica
una decappottabile con la cappotta abbassata
un'automobile sportiva rossa

08 Il treno è sulla montagna.
Questa gente sta salendo sul tram.
Quest'automobile rossa ha avuto un incidente.
L'automobile rossa non ha avuto un incidente.

09 L'automobile rossa e quella grigia hanno avuto
 un incidente.
Il sottomarino è nell'acqua.
La nave ha le vele.
L'automobile rossa e quella bianca sono
 parcheggiate.

10 L'automobile rossa è distrutta.
L'automobile rossa non è distrutta.
La grande nave sta navigando nell'acqua.
Il camion rimorchio sta trainando l'automobile.

4-10 Preposizioni e oggetti delle preposizioni; con e senza

01 Lui sta saltando con un'asta.
Lei sta cantando con un microfono.
Il bambino con il maglione rosso sta giocando.
Sta giocando con i suoi amici.
Lui va in bicicletta usando le mani.

02 Lui sta saltando senza un'asta.
Lei sta cantando senza un microfono.
Lui sta giocando senza i suoi amici.
Lui va in bicicletta senza usare le mani.

03 Lui sta saltando con un'asta.
Lui sta saltando senza un'asta.
Lei sta cantando con un microfono.
Lei sta cantando senza un microfono.

04 Lui sta giocando con i suoi amici.
Lui sta giocando senza i suoi amici.
Lui sta andando in bicicletta senza usare le mani.
Lui sta andando in bicicletta usando le mani.

05 L'uomo salta senza un paracadute.
L'uomo salta con un paracadute.
Lui si sta arrampicando con una corda.
Lui si sta arrampicando senza una corda.

06 L'uomo senza una maglietta sta correndo.
L'uomo con una maglietta sta correndo.
La donna con gli occhiali da sole è seduta.
La donna senza occhiali da sole è seduta.

07 Questa gente con gli ombrelli sta camminando.
Questa gente senza ombrelli sta camminando.
La persona con un casco sta andando in bicicletta.
La persona senza casco sta andando in bicicletta.

08 La donna con un cappello sta camminando.
La donna senza un cappello sta camminando.
L'uomo senza cappello è seduto su una scatola.
L'uomo con un cappello è seduto su una scatola.

09 L'uomo con un berretto sta scrivendo.
L'uomo con un cappello sta indicando.
L'uomo senza cappello sta indicando.
L'uomo senza berretto sta scrivendo.

10 Il bambino con un maglione sta giocando nella sabbia.
Il bambino senza maglione sta giocando nella sabbia.
Il bambino con un maglione sta giocando nell'erba.
Il bambino senza maglione è nell'erba.

4-11 Ripasso Unità Quattro

01 Che sta facendo l'uomo?
Sta bevendo l'acqua.

Che sta facendo l'uomo?
Sta suonando la chitarra.

Che sta facendo l'uomo?
Si sta mettendo il maglione.

Che sta facendo l'uomo?
Sta seduto con suo figlio.

02 Le mani sono separate e i piedi sono separati.
Le mani e i piedi sono uniti.
I piedi sono separati e le mani sono unite.
I piedi sono uniti e le mani sono separate.

03 settantacinque
ottantacinque
novantacinque
cento

04 L'uomo non può parlare ora perché sta bevendo.
L'uomo può parlare perché non sta bevendo.
Il bambino non può parlare perché è sottacqua.
Il bambino può parlare perché non è sottacqua.

05 Il gatto dorme.
Il gatto è sveglio.
Il bambino dorme.
Il bambino è sveglio.

06 La donna canta mentre suona il piano elettrico.
La donna beve mentre suona il piano elettrico.
La donna si spazzola i capelli mentre tiene la borsa.
La donna scrive mentre tiene la borsa.

07 una sorella e il fratello e la loro madre
un marito e una moglie e la loro figlia
una sorella e il fratello con i loro genitori
una sorella e un fratello senza i loro genitori

08 Qualcuno sta cavalcando.
Nessuno sta cavalcando.
Qualcosa è sul piatto.
Niente è sul piatto.

09 Il camion sta trainando l'automobile.
Qualcuno sta guidando un'automobile.
L'automobile rossa è dietro il camion.
Il camion sta trainando una barca.

10 L'uomo con un berretto sta scrivendo.
L'uomo con un cappello sta indicando.
L'uomo senza cappello sta indicando.
L'uomo senza berretto sta scrivendo.

5-01 Addizioni, sottrazioni, moltiplicazioni e divisioni

01 sei
    uno
    venti
    nove

02 due
    cinque
    undici
    otto

03 tre
    quattro
    sette
    dieci

04 Uno più uno fa due.
    Uno più due fa tre.
    Uno più tre fa quattro.
    Uno più quattro fa cinque.

05 Tre più quattro fa sette.
    Tre più cinque fa otto.
    Sei meno due fa quattro.
    Sei meno quattro fa due.

06 Sei più cinque fa undici.
    Sei più sei fa dodici.
    Quattro più tre fa sette.
    Quattro più cinque fa nove.

07 Otto meno due fa sei.
    Otto meno quattro fa quattro.
    Sette meno tre fa quattro.
    Sette meno cinque fa due.

08 Dodici meno cinque fa sette.
    Dodici meno sei fa sei.
    Dodici meno sette fa cinque.
    Dodici meno otto fa quattro.

09 Dodici diviso due fa sei.
    Due per sei fa dodici.
    Sei diviso tre fa due.
    Due per otto fa sedici.

10 Dieci diviso cinque fa due.
    Quindici diviso cinque fa tre.
    Venti diviso cinque fa quattro.
    Quattro per cinque fa venti.

5-02 Forma possessiva con "di" e aggettivi possessivi

01 un bambino
    il bambino e suo padre
    il bambino e il suo cane
    il cane del bambino senza il bambino

02 una donna bionda e il suo cane
    un uomo e il suo cane
    una donna bruna e il suo cane
    un bambino e il suo cane

03 La donna sta facendo passeggiare il suo cane.
    Il bambino sta facendo passeggiare il suo cane.
    Qualcuno sta facendo passeggiare tre cani.
    Le donne stanno facendo passeggiare i loro cani.

04 Il cappello della donna è nero.
    L'elmetto dell'uomo è bianco.
    Il cavallo della donna sta saltando.
    Il cavallo dell'uomo si sta inarcando.

05 I calzini della bambina sono bianchi.
    La camicia della bambina è bianca.
    Il cane dell'uomo è piccolo.
    Il cane dell'uomo sta leggendo.

06 una donna con il suo gatto
    una ragazza con il suo cavallo
    un uomo con il suo gatto
    un uomo con il suo cavallo

07 L'uomo porta la sua propria camicia.
    Questa camicia non è la camicia del ragazzo.
    È troppo grande.
    La camicia dell'uomo è sul tavolo.
    Questa camicia non è la camicia dell'uomo.
    È troppo piccola.

08 un cappello da donna
    un cappello da uomo
    una mano di un uomo
    una mano di una donna

09 un'automobile per bambini
    un'automobile per adulti
    indumenti per bambini
    indumenti per adulti

10 guanti da donna
    guanti da uomo
    gambe di donne
    gambe di una donna

5-03 Gerundio e presente della forma progressiva, passato prossimo e futuro semplice

01 La bambina sta saltando.
La bambina sta camminando.
La bambina sta andando a cavallo.
La bambina sta ridendo.

02 Il bambino salterà.
Il bambino cadrà.
Il bambino mangerà.
Il bambino andrà in bicicletta.

03 La donna ha saltato.
La donna ha aperto il cassetto.
La donna ha lanciato la palla.
La donna è andata a dormire.

04 L'uomo e la donna si abbracceranno.
L'uomo e la donna si stanno abbracciando.
Questo lavoro è stato fatto da Picasso.
Questo lavoro non è stato fatto da Picasso.

05 L'uccello sta nuotando.
L'uccello sta volando.
L'uccello sta camminando.
L'uccello batte le ali, ma non sta volando.

06 Il cane prenderà il frisbee.
Il cane ha preso il frisbee.
Il cane raccoglierà il cappello.
Il cane ha raccolto il cappello.

07 Il cavallo ha saltato.
Il cavallo ha gettato di sella il mandriano.
Il cavallo è salito.
Il cavallo è sceso.

08 I bambini salteranno dal tavolo.
I bambini saltano dal tavolo.
I bambini hanno saltato.
I bambini camminano intorno al tavolo.

09 L'uomo con il blusotto bianco si arrampicherà
sul muro.
L'uomo con il blusotto bianco si arrampica
sul muro.
Il cammello aprirà la bocca.
Il cammello ha aperto la bocca.

10 L'uomo userà il telefono portatile. Lo sta tirando
fuori dalla tasca.
L'uomo sta usando il telefono portatile.
L'uomo tiene il telefono portatile, ma non lo sta
usando.
L'uomo sta usando un telefono rosso.

5-04 Altri numeri

01 diciassette
ventisette
trentasette
trentotto

02 quarantatré
trentaquattro
sessantatré
trentasei

03 settantotto
ottantasette
novantacinque
cinquantanove

04 centoquarantacinque
centocinquantaquattro
duecentosettantotto
duecentottantasette

05 trecentoventicinque
trecentocinquantadue
quattrocentoventicinque
quattrocentocinquantadue

06 cinquecentoquarantanove
cinquecentocinquantanove
seicentosessantanove
seicentonovantasei

07 settecentotrentaquattro
settecentoquarantatré
ottocentotrentaquattro
ottocentoquarantatré

08 novecentoventisei
novecentosessantadue
milleottantasette
millesettantotto

09 milleottocentocinquantasette
duemilaottocentocinquantasette
milleottocentosettantacinque
duemilaottocentosettantacinque

10 tremilacentoventicinque
settemilacentoventicinque
novemilacentoventicinque
diecimilacentoventicinque

5-05   Complementi diretti e indiretti

01   L'uomo sta spingendo la bicicletta.
      L'uomo sta spingendo il carrello.
      La donna sta spingendo le scatole.
      Gli uomini stanno spingendo la stuoia.

02   L'uomo sta tirando il carrello.
      Il pony sta tirando il carretto.
      Loro stanno tirando la stuoia.
      Loro stanno spingendo la stuoia.

03   Lui sta tirando il carrello.
      Lui sta spingendo il carrello.
      Loro stanno spingendo la stuoia.
      Loro stanno tirando la stuoia.

04   L'uomo sta aggiustando la bicicletta.
      L'uomo sta andando in bicicletta.
      La donna sta facendo passeggiare il suo cane.
      La donna sta giocando con il suo cane.

05   La bambina porta il cappello in testa.
      La bambina tiene il cappello in mano.
      L'uomo tiene il bicchiere d'acqua. Lui non
       sta bevendo.
      L'uomo sta bevendo il bicchiere d'acqua.

06   La donna sta salendo le scale.
      La donna sta spingendo le scatole.
      L'uomo sta portando il bambino in spalla.
      L'uomo sta spingendo il carrello.

07   La donna sta dando i soldi al ragazzo.
      L'uomo sta dando la medicina alla donna.
      La donna sta dando la chitarra al bambino.
      L'uomo sta dando la chitarra alla bambina.

08   Il ragazzo sta prendendo i soldi dalla donna.
      Il bambino sta prendendo la chitarra dalla donna.
      La bambina sta prendendo la chitarra dall'uomo.
      La donna sta prendendo la medicina dall'uomo.

09   La bambina sta prendendo un piatto.
      Qualcuno sta dando un piatto di cibo all'uomo.
      Qualcuno sta dando un piatto di cibo alla donna.
      L'uomo sta dando la chitarra alla bambina.

10   La donna sta dando i soldi al ragazzo.
      Qualcuno sta dando qualcosa alla donna.
      L'uomo sta prendendo un bicchiere di latte.
      L'uomo ha dato un bicchiere di latte alla donna.

5-06   Caldo e freddo

01   il fuoco
      il sole
      la neve
      il ghiaccio

02   Il fuoco è caldo.
      Il sole è caldo.
      La neve è fredda.
      Il ghiaccio è freddo.

03   un albero e i fiori viola
      una candela
      La neve copre gli alberi.
      La neve copre le montagne.

04   Il fuoco sta bruciando gli alberi.
      Il fuoco sta bruciando la candela.
      Il sole è dietro l'albero.
      Il sole è dietro le nuvole.

05   Il fuoco sta facendo il fumo nero.
      Il fuoco sta facendo il fumo bianco.
      La stufa piccola fa un fuoco blu.
      Il fiammifero fa un fuoco giallo.

06   Fa caldo in estate.
      Fa freddo in inverno.
      Il pane è caldo.
      Il pane non è caldo.

07   Fa freddo e questa gente porta cappelli e sciarpe.
      Fa caldo e questa gente è seduta al sole.
      La gente gioca nell'acqua quando fa caldo.
      La gente gioca nella neve quando fa freddo.

08   un giorno caldo
      un giorno freddo
      cibo freddo
      cibo caldo

09   Fa caldo.
      Fa freddo.
      una bevanda fredda
      una bevanda calda

10   Lui ha caldo.
      Lui ha freddo.
      Il sole splende sulla donna.
      Il sole splende sull'erba.

5-07 Tipi di piante, animali e cibi

01 Un fiore è un tipo di pianta.
L'erba è un tipo di pianta.
Gli alberi sono un tipo di pianta.
I cespugli e i fiori sono tipi di piante.

02 due tipi di fiori
un tipo di fiore
parecchi tipi di frutta
un tipo di frutta

03 L'uva è un tipo di frutta.
Le banane sono un tipo di frutta.
Le mele sono un tipo di frutta.
Le pere sono un tipo di frutta.

04 I cani sono un tipo di animali.
I gatti sono un tipo di animali.
Le pecore sono un tipo di animali.
Le anatre sono un tipo di animali.

05 due tipi di anatre
un tipo d'anatra
due tipi di cani
un tipo di cane

06 La carne è un tipo di cibo.
La frutta è un tipo di cibo.
Il pane è un tipo di cibo.
Il gelato è un tipo di cibo.

07 L'uva è cibo.
Le banane sono cibo.
Le mele sono cibo.
Le pere sono cibo.

08 due tipi di animali
un tipo di animale
un tipo di pianta
parecchi tipi di piante

09 I cani sono animali.
I fiori sono piante.
I cavalli e le mucche sono animali.
Le anatre sono animali.

10 molti tipi di cibo
molti tipi di piante
una pianta e un animale
due tipi d'animali

5-08 Mobili, abbigliamento e strumenti musicali

01 Un tavolo è un mobile.
Una sedia è un mobile.
Un letto è un mobile.
Un divano è un mobile.

02 Un tavolo e le sedie sono mobili.
Una scrivania e una sedia sono mobili.
Un letto è un mobile per dormire.
Un divano è un mobile per sedersi.

03 I tavoli sono mobili.
Le poltrone sono mobili.
Una panchina è un mobile per sedersi.
Un cassettone è un mobile per gli indumenti.

04 Un vestito è un indumento.
Una giacca è un indumento.
Una camicia e una cravatta sono indumenti.
indumenti per bambini

05 Il pagliaccio si sta vestendo.
Il pagliaccio è vestito.
La donna si sta vestendo.
La donna è vestita.

06 Questa gente è vestita in abiti da cerimonia.
Questa gente è vestita da mandriano.
Questa gente è vestita per nuotare.
Questa gente è vestita da pagliaccio.

07 L'uomo sta suonando il piano, mentre tiene un sassofono.
Le chitarre sono strumenti musicali.
I violini sono strumenti musicali.
I flauti sono strumenti musicali.

08 Qualcuno suona una chitarra basso elettrica.
Qualcuno suona un flauto.
Qualcuno suona un piano elettrico.
Qualcuno suona i tamburi.

09 L'uomo con il flauto sta suonando e l'uomo con i tamburi sta ascoltando.
L'uomo sta tenendo due chitarre.
Qualcuno sta suonando una chitarra.
I bambini stanno suonando il piano.

10 mobili
indumenti
strumenti musicali
un mobile

5-09 Alcuni/e, molti/e, più, meno

01 Due persone sono su una bicicletta.
Una persona è in piedi tra due persone su biciclette.
Una persona è su una bicicletta e due persone stanno camminando.
Molte persone sono su molte biciclette.

02 Ci sono più sedie che tavoli.
Ci sono più mele verdi che mele rosse.
C'è la stessa quantità di latte nel bicchiere della donna come nel bicchiere della bambina.
Ci sono più caramelle nella mano sinistra dell'uomo che nella sua mano destra.

03 Ci sono meno tavoli che sedie.
Ci sono meno mele rosse che mele verdi.
Tutti e due i bicchieri hanno la stessa quantità di latte.
Ci sono meno caramelle nella mano destra dell'uomo che nella sua mano sinistra.

04 C'è poco cibo su questo vassoio.
C'è molto cibo su questo vassoio.
C'è meno acqua che terra in questa fotografia.
C'è più acqua che terra in questa fotografia.

05 C'è più sabbia che erba in questa fotografia.
C'è meno sabbia che erba in questa fotografia.
C'è più latte nel bicchiere della bambina che nel bicchiere della donna.
C'è meno latte nel bicchiere della bambina che nel bicchiere della donna.

06 Possiamo contare i bambini: uno, due, tre.
Possiamo contare i bambini: uno, due, tre, quattro.
Possiamo contare i bambini: uno, due, tre, quattro, cinque, sei.
Possiamo contare le candele: una, due, tre, quattro, cinque.

07 Ci sono troppe monete da contare.
Ci sono troppi uccelli da contare.
Ci sono troppi fiori da contare.
Ci sono troppi palloncini da contare.

08 alcuni palloncini
troppi palloncini da contare
alcune persone
troppe persone da contare

09 Ci sono troppe persone da contare.
Non ci sono troppe persone da contare.
Ci sono troppi cappelli da contare.
Non ci sono troppi cappelli da contare.

10 Ci sono molti, molti fiori.
Ci sono solo alcuni fiori.
Ci sono troppi animali da contare.
Ci sono solo due animali.

5-10 Altri verbi; gesti umani

01 I bambini fanno un cenno con la mano.
La bambina fa un cenno con la mano.
L'uomo fa un cenno con la mano.
La donna fa un cenno con la mano.

02 Uno dei pagliacci fa un cenno con la mano.
Uno dei pagliacci ha le mani in tasca.
I pagliacci fanno un cenno con la mano.
Il pagliaccio seduto fa un cenno con la mano.

03 La donna sta tossendo.
L'uomo sta starnutendo.
Questo bambino sta tenendo il filo dell'aquilone in bocca.
Questo ragazzo tira fuori la lingua.

04 Le braccia del ragazzo sono incrociate.
Il ragazzo sta sbadigliando.
L'uomo sta starnutendo.
L'uomo si sta soffiando il naso.

05 Quest'uomo si sta allacciando la scarpa.
Quest'uomo si sta grattando il collo.
Il pagliaccio sta indicando il suo naso.
Il pagliaccio si sta grattando la testa.

06 La donna sulla panchina è stanca.
L'uomo è stanco.
Il ragazzo sta sbadigliando perché è stanco.
Il bambino sta piangendo.

07 La donna è molto triste.
L'uomo sta pensando.
Questi uomini non sono stanchi.
Questi uomini sono stanchi.

08 La donna è triste. Lei è a un funerale.
L'uomo è molto felice.
Questi uomini hanno partecipato a una corsa. Sono molto stanchi.
Questo uomo parteciperà a una corsa. Si sta scaldando.

09 Due corridori stanno finendo una corsa. Quello con la maglietta rossa vincerà.
L'uomo è molto felice. Ha vinto due medaglie.
La donna è felice di cantare.
Il bambino sta piangendo perché è triste.

10 L'uomo si sta grattando la fronte.
L'uomo sta pensando.
Il bambino sta raccogliendo qualcosa dal pavimento.
La donna sta raccogliendo qualcosa dal pavimento.

5-11 Condizioni fisiche umane

01 Ho i capelli rossi.
Porto un cappello.
Ho i capelli neri.
Sono calvo.

02 Abbiamo freddo.
Abbiamo caldo.
Ho freddo.
Ho caldo.

03 Sono stanca.
Non sono stanca. Sto saltando.
Siamo stanchi.
Non siamo stanchi.

04 Sono forte.
Sono debole.
Stiamo correndo e non siamo stanchi.
Stiamo correndo e siamo stanchi.

05 Sono ammalato.
Sono sano
Sono un uccello blu.
Sono un uccello con la testa rossa.

06 Sono l'uomo che ha fame.
Sono l'uomo che è pieno.
Sono la donna che ha fame.
Sono la donna che è piena.

07 Siamo felici.
Siamo infelici.
Sono felice.
Sono infelice.

08 Siamo stanchi.
Io sono stanca. Lui non è stanco.
Non siamo stanchi. Lui è stanco.
Io sono stanco. Lei non è stanca.

09 Sono ammalato.
Ho sete.
Ho freddo.
Sono ricco.

10 Non sto bevendo. Tu stai bevendo.
Ho fame.
Abbiamo freddo.
Abbiamo caldo e siamo stanchi.

5-12 Ripasso Unità Cinque

01 Sei più cinque fa undici.
Sei più sei fa dodici.
Quattro più tre fa sette.
Quattro più cinque fa nove.

02 guanti da donna
guanti da uomo
gambe di donne
gambe di una donna

03 L'uomo userà il telefono portatile. Lo sta tirando
fuori dalla tasca.
L'uomo sta usando il telefono portatile.
L'uomo tiene il telefono portatile, ma non lo sta
usando.
L'uomo sta usando un telefono rosso.

04 settecentotrentaquattro
settecentoquarantatré
ottocentotrentaquattro
ottocentoquarantatré

05 La donna sta dando i soldi al ragazzo.
L'uomo sta dando la medicina alla donna.
La donna sta dando la chitarra al bambino.
L'uomo sta dando la chitarra alla bambina.

06 molti tipi di cibo
molti tipi di piante
una pianta e un animale
due tipi d'animali

07 Il pagliaccio si sta vestendo.
Il pagliaccio è vestito.
La donna si sta vestendo.
La donna è vestita.

08 C'è più sabbia che erba in questa fotografia.
C'è meno sabbia che erba in questa fotografia.
C'è più latte nel bicchiere della bambina che nel
bicchiere della donna.
C'è meno latte nel bicchiere della bambina che
nel bicchiere della donna.

09 Quest'uomo si sta allacciando la scarpa.
Quest'uomo si sta grattando il collo.
Il pagliaccio sta indicando il suo naso.
Il pagliaccio si sta grattando la testa.

10 Siamo stanchi.
Io sono stanca. Lui non è stanco.
Non siamo stanchi. Lui è stanco.
Io sono stanco. Lei non è stanca.

6-01   Essere e avere: presente e imperfetto

01   I bambini sono nel parco.
     Il bambino è nell'aereo.
     Il cane ha un frisbee in bocca.
     Il misurino è pieno.

02   Questi sono i bambini che erano nel parco.
     Il bambino era nell'aereo.
     Il cane aveva un frisbee in bocca.
     Il misurino era pieno.

03   La bocca del ragazzo è aperta.
     I bambini sono sul tavolo.
     La bocca del ragazzo era aperta.
     I bambini erano sul tavolo.

04   La donna ha la scatola.
     Questa è la donna che aveva la scatola.
     Le bambine hanno una corda.
     Queste sono le bambine che avevano la corda.

05   L'uomo ha un cappello in testa.
     Questo è l'uomo che aveva il cappello in testa.
     Il bambino in blu ha un rastrello nelle mani.
     Il bambino in blu aveva un rastrello nelle mani.

06   Questa gente è in una corsa ciclistica.
     Questa gente era in una corsa ciclistica.
     Quest'uomo è in una corsa ciclistica.
     Quest'uomo era in una corsa ciclistica.

07   Il ragazzo è sul tavolo.
     Il ragazzo era sul tavolo.
     La donna tiene un quaderno.
     La donna teneva un quaderno.

08   Questa persona è nell'acqua.
     Questa persona era nell'acqua.
     Il ragazzo è sul muro. Sta arrampicandosi sul
     muro.
     Il ragazzo era sul muro. È caduto dal muro.

09   Questa gente è in una sfilata.
     Questa gente era in una sfilata.
     L'uomo è nel camion.
     L'uomo era nel camion.

10   Il bambino è dentro.
     Il bambino era dentro. Ora è fuori.
     Il pagliaccio ha un cappello in testa.
     Il pagliaccio aveva un cappello in testa.

6-02   Gerundio e presente della forma progressiva, passato prossimo e futuro semplice

01   L'uomo salirà in automobile.
     L'uomo sta salendo in automobile.
     L'uomo salirà in carrozza.
     L'uomo sta salendo in carrozza.

02   Il ragazzo salterà.
     Il ragazzo sta saltando.
     Il ragazzo ha saltato.
     Il ragazzo lancerà la palla.

03   La donna scriverà.
     La donna sta scrivendo.
     Il bambino sta cadendo.
     Il bambino è caduto.

04   Il ragazzo uscirà dall'acqua.
     Il ragazzo scivolerà.
     Il ragazzo sta scivolando.
     Il ragazzo è scivolato nell'acqua.

05   Il bambino salterà.
     Il bambino sta saltando.
     Questa gente attraverserà la strada.
     Questa gente sta attraversando la strada.

06   Il ragazzo sta guardando la palla.
     Il ragazzo lancerà la palla.
     L'uomo lancerà il bambino.
     L'uomo ha lanciato il bambino.

07   La donna metterà qualcosa nel sacchetto.
     La donna ha messo qualcosa nel sacchetto.
     La donna bacerà l'uomo.
     La donna sta baciando l'uomo.

08   La donna entrerà nell'edificio.
     La donna sta entrando nell'edificio.
     L'uomo chiuderà il portabagagli dell'automobile.
     L'uomo ha chiuso il portabagagli
     dell'automobile.

09   Questa gente salirà le scale.
     Questa gente sta salendo le scale.
     Questa gente ha salito le scale.
     Questa gente sta scendendo le scale.

10   Questa gente scenderà le scale.
     Questa gente sta scendendo le scale.
     Questa gente ha sceso le scale.
     Questa gente sta salendo le scale.

6-03 Altre descrizioni di persone; aggettivi qualificativi

01 L'uomo anziano ha la barba bianca.
L'uomo calvo sta guardando il tappeto.
L'uomo calvo ha la barba.
L'uomo con la cravatta a farfalla rossa ha
la barba.

02 L'uomo ha la barba.
L'uomo è calvo.
L'uomo non ha la barba.
La donna non ha la barba.

03 Questa gente porta l'uniforme.
Questa gente non porta l'uniforme.
Quest'uomo porta l'uniforme.
Quest'uomo non porta l'uniforme.

04 Questa persona ha i baffi, ma non la barba.
Questa persona ha la barba, ma non i baffi.
Questa persona ha i baffi e la barba.
La persona non ha nè i baffi nè la barba.

05 Questa statua ha i baffi.
Questa statua ha la barba.
La donna con i capelli lunghi porta gli orecchini.
La donna con i capelli corti porta gli orecchini.

06 Questa coppia è vestita a festa.
Questa coppia non è vestita a festa.
Questi uomini sono vestiti a festa.
Questi uomini non sono vestiti a festa.

07 Questa bambina ha i capelli neri e la pelle scura.
Il bambino con il maglione rosso ha la pelle scura.
La bambina con i capelli rossi ha la pelle chiara.
Il bambino con la camicia nera ha la pelle chiara.

08 Quale donna giovane ha la pelle scura?
Quale donna giovane ha la pelle chiara?
Quale uomo giovane ha la pelle scura?
Quale uomo giovane ha la pelle chiara?

09 La donna ha la pelle chiara e i capelli corti.
La donna ha la pelle chiara e i capelli biondi
lunghi.
Questa persona ha la pelle scura e i capelli corti.
Questa persona ha la pelle scura e i capelli
lunghi.

10 Quest'uomo ha la pelle scura e i baffi.
Quest'uomo ha la pelle chiara e la barba.
Quest'uomo ha la pelle chiara e non ha nè barba
nè baffi.
Quest'uomo ha la pelle scura e non ha nè barba
nè baffi.

6-04 Gruppi di cose

01 un sacchetto pieno di pesci
un sacchetto pieno d'uva
sacchetti pieni di pane
un sacchetto di carta vuoto

02 un rotolo di salviette di carta
una salvietta di carta
un sacchetto di patatine fritte
un sacchetto di plastica pieno d'uva

03 una bottiglia di succo piena
mezza bottiglia di succo
una bottiglia di vetro vuota
un rotolo di carta igienica

04 due rotoli di salviette di carta
un sacchetto di carta pieno
un sacchetto di plastica vuoto
un sacchetto di carta vuoto

05 una bottiglia di vetro vuota
una bottiglia piena
molto pane
sei pagnotte di pane

06 un rotolo di salviette di carta
un rotolo di carta igienica
un sacchetto di carta pieno
un sacchetto di carta vuoto

07 un pomodoro
molti pomodori
molte cassette di mele
fette di cocomero

08 un paio di stivali
un paio di occhiali da sole
cesti di mele
cassette di mele

09 un paio di occhiali da sole
un paio di guanti e un paio di scarpe
un paio di stivali
un paio di dadi

10 un mazzo di fiori
tre mazzi di fiori
una banana
molte banane

6-05 Nè...nè, tutti/e e due

01 La donna sta cavalcando.
La donna non cavalca più.
Gli uomini stanno andando in bicicletta.
Gli uomini non vanno più in bicicletta.

02 Gli uomini stanno correndo.
Gli uomini non stanno più correndo.
Gli uomini giovani stanno cantando.
Gli uomini giovani non stanno più cantando.

03 L'uomo e la donna stanno cantando.
L'uomo e la donna non stanno più cantando.
Il pagliaccio si sta vestendo.
Il pagliaccio non si sta più vestendo.

04 Questa donna sta mangiando.
Questa donna sta parlando al telefono.
Questa donna non sta nè parlando al telefono
nè mangiando.
Quest'uomo non sta nè parlando al telefono
nè mangiando.

05 Questa donna sta cantando e suonando il piano.
Questa donna non sta nè cantando nè suonando
il piano.
Queste donne stanno suonando i tamburi e
sorridendo.
Queste donne non stanno nè suonando i tamburi
nè sorridendo.

06 Tutte e due le persone stanno cantando.
Nessuna di queste persone sta cantando.
Solo una di queste persone sta cantando.
Tutte e sei queste persone stanno cantando.

07 L'uomo in bianco è sul marciapiede.
L'uomo in bianco non è più sul marciapiede.
L'autobus è sul marciapiede.
L'autobus non è più sul marciapiede.

08 Tutte e quattro queste persone stanno
camminando.
Nessuna di queste quattro persone sta
camminando.
Tutte e tre queste persone stanno camminando.
Nessuna di queste tre persone sta camminando.

09 Tutti e due gli uomini giovani stanno cantando.
Nessuno di loro sta baciando una donna.
Nè l'uomo nè la donna stanno parlando.
Nè l'uomo nè la donna si stanno baciando.
L'uomo con la maglietta nera è in piedi.
Nessuno dei suoi amici lo è.

10 Sia l'uomo che la donna portano gli ombrelli.
Nè l'uomo nè la donna portano un ombrello.
Sia l'uomo che il bambino portano i cappelli.
Nè l'uomo nè il bambino portano un cappello.

6-06 Verbi: presente indicativo, passato forma progressiva, imperfetto; pronomi relativi

01 Questa gente è in una corsa ciclistica.
Questa gente era in una corsa ciclistica.
Il pagliaccio ha un cappello in testa.
Il pagliaccio aveva un cappello in testa.

02 La donna giovane sta leggendo.
La donna giovane stava leggendo.
Il ragazzo sta pescando.
Il ragazzo stava pescando.

03 La bambina sta saltando alla corda.
Le bambine stavano saltando alla corda.
La donna sta bevendo.
La donna stava bevendo.

04 Il padre e i figli stanno scavando.
Il padre e i figli stavano scavando.
Il cane sta guardando il libro.
Il cane stava guardando il libro.

05 L'uomo porta una camicia che è troppo piccola.
L'uomo portava una camicia che era troppo
piccola.
L'uomo porta la sua propria camicia.
L'uomo portava questa camicia, ma ora il
bambino la porta.

06 L'uomo sta suonando la chitarra.
L'uomo stava suonando la chitarra.
La donna tiene la chitarra.
La donna teneva la chitarra, ma ora l'ha il
bambino.

07 Il semaforo è rosso.
Il semaforo era rosso.
L'uomo sta salendo la scala a pioli.
L'uomo ha salito la scala a pioli.

08 Alcune persone stanno guidando.
Alcune persone stavano guidando, ma non più.
Qualcuno guiderà.
le chiavi dell'automobile

09 Questo cane sta sbadigliando.
Questo cane porta il frisbee.
Questo giovane sta sbadigliando.
Questo giovane sta mangiando.

10 Questo è il cane che stava sbadigliando.
Questo è il cane che portava il frisbee.
Questo è il giovane che stava sbadigliando.
Questo è il giovane che stava mangiando.

6-07 Nomi propri di persona

01 due uomini e una donna
quattro uomini
un uomo
tre uomini e una donna

02 L'uomo a sinistra è il Principe Carlo.
L'uomo a sinistra è Ronald Reagan.
L'uomo che parla è Mikhail Gorbaciov.
La donna con i cantanti è Nancy Reagan.

03 L'uomo a sinistra si chiama Carlo.
Il nome dell'uomo a sinistra è Ronald.
Il nome dell'uomo è Mikhail.
La donna davanti ai cantanti si chiama Nancy.

04 Il Principe Carlo stringe la mano a Ronald
Reagan.
Ronald Reagan è con altri tre uomini.
Mikhail Gorbaciov sta parlando.
Nancy Reagan sta sorridendo ai cantanti.

05 Questa è Sandra. È una bambina.
Questo è Marco. È un bambino.
Questa è Germana. È una donna.
Questo è Luigi. È un uomo.

06 La bambina dice: "Mi chiamo Sandra e ho
quattro anni".
Il bambino dice: "Mi chiamo Marco e ho dieci
anni".
La donna dice: "Mi chiamo Germana e ho
ventidue anni".
L'uomo dice: "Mi chiamo Luigi e ho ventitré
anni".

07 Germana salirà le scale.
Germana sta salendo le scale.
Germana sta scendendo le scale.
Germana ha sceso le scale.

08 Sandra tiene un palloncino.
Marco tiene un palloncino.
Luigi è in piedi su un albero.
Germana è in piedi su un albero.

09 Sandra dice: "Guarda il mio palloncino!".
Marco dice: "Guarda il mio palloncino!".
Luigi dice: "Guarda, sono in piedi su un
albero!".
Germana dice: "Guarda, sono in piedi su un
albero!".

10 Germana e Luigi stanno salendo sul muro.
Germana e Luigi sono in piedi sul muro.
Germana e Luigi sono appena saltati dal muro.
I loro piedi non hanno toccato il suolo.
Germana e Luigi sono saltati dal muro. I loro
piedi hanno toccato il suolo.

6-08 Gerundio e presente della forma progressiva, passato prossimo e futuro semplice

01 L'uomo bacerà sua moglie.
L'uomo sta baciando sua moglie.
La donna lancerà la palla.
La donna ha lanciato la palla.

02 La bambina sta parlando all'uomo.
La donna non sta parlando a nessuno. Sta
preparando del cibo.
La donna è seduta sull'uomo.
La donna è seduta sulla sedia a dondolo.

03 La donna sta cavalcando il cavallo.
Nessuno sta cavalcando il cavallo.
Nessuno sta andando sulla bicicletta.
Qualcuno sta andando sulla bicicletta.

04 Il cavallo sta baciando la donna.
Nessuno è baciato dal cavallo.
La palla è calciata dal ragazzo.
Nessuno sta calciando la palla.

05 La donna è baciata dal cavallo.
Nessuno sta baciando la donna.
Il ragazzo sta calciando la palla.
Il ragazzo non sta calciando niente.

06 Il bambino sta cadendo.
Il bambino è caduto.
L'uomo sta salendo la scala a pioli.
L'uomo ha salito la scala a pioli.

07 Gli uomini correranno.
Gli uomini stanno correndo.
Gli uomini hanno corso.
Le donne correranno.

08 La donna solleverà il gatto.
La donna sta sollevando il gatto.
La donna ha sollevato il gatto e lo sta tenendo
in braccio.
La donna sta leggendo il giornale.

09 La donna si metterà il vestito.
La donna si sta mettendo il vestito.
La donna si è messa il vestito.
L'uomo si sta mettendo la maglietta.

10 La bambina si verserà l'acqua sulla testa.
La bambina si sta versando l'acqua sulla testa.
La donna leggerà il libro.
La donna sta leggendo il libro.

6-09   Altri gruppi di cose

01   molte banane
      alcune banane
      molti grappoli d'uva
      un grappolo d'uva

02   alcune banane
      una sola banana
      un grappolo d'uva
      un chicco d'uva

03   un paio di bambole
      un gruppo di bambole
      alcuni fiori
      molti mazzi di fiori

04   un paio di candele
      molte paia di candele
      un paio di guanti
      molte paia di guanti

05   un mazzo di fiori
      un solo fiore
      un paio di bandiere
      molte bandiere

06   molti palloncini
      alcuni palloncini
      un solo ciclista
      un gruppo di ciclisti

07   un paio di dadi
      due paia di dadi
      un solo corridore
      un gruppo di corridori

08   un assortimento di attrezzi
      mobili per camera da pranzo
      un assortimento di bagagli
      un servizio di coltelli

09   un servizio di posate
      un coppia di gemelli
      una scacchiera
      un servizio di piatti

10   una coppia che scende la scala mobile
      due coppie
      una coppia di bambole
      un assortimento di bambole russe

6-10   Solo/a, folla, amica/i; voce passiva dei verbi

01   La bambina è sola.
      La bambina è con i suoi amici.
      La bambina è con sua madre e suo padre.
      La bambina è con il suo cucciolo.

02   La cantante con il microfono rosso sta cantando da sola.
      La cantante sta cantando con un'amica.
      La donna sta cantando con il coro.
      La donna sta cantando da sola mentre suona il piano.

03   I fiori circondano la donna.
      I cespugli circondano la donna.
      I libri circondano la donna.
      Questa gente circonda la donna.

04   La donna è circondata da fiori.
      La donna è circondata da cespugli.
      La donna è circondata da libri.
      La donna è circondata da gente.

05   Il castello è solo sulla collina, lontano da altri edifici.
      Il forte è solo nel deserto, lontano da altri edifici.
      Il castello è circondato da altri edifici.
      La chiesa è circondata da altri edifici.

06   La donna è sola.
      La donna è con un'altra persona.
      La donna è circondata da gente.
      Il tavolo è circondato da poltrone.

07   una persona da sola
      una coppia
      alcune persone
      una folla di gente

08   La bambina legge da sola.
      La bambina gioca con un'amica.
      La bambina gioca con la sua insegnante.
      La bambina cammina con la sua insegnante e la sua amica.

09   Qualcuno sta scendendo le scale da solo.
      Alcune persone stanno scendendo le scale.
      Una folla di gente è sulle scale.
      Una folla di gente sta camminando sul marciapiede.

10   Un'enorme folla di gente sta gareggiando.
      Alcune persone stanno gareggiando le une contro le altre.
      Queste due persone stanno gareggiando, ma non una contro l'altra.
      Quest'uomo sta correndo da solo, ma non sta gareggiando.

6-11 Professioni e condizioni fisiche, attività

01 Sono dottore.
Sono infermiera.
Sono meccanico.
Sono studentessa.

02 Sono poliziotto.
Sono dentista.
Sono falegname.
Sono scienziata.

03 Sono segretaria.
Sono cuoco.
Sono insegnante.
Sono cameriere.

04 Sono imbarazzato.
Mi fa male il piede.
Non ho paura. Lui ha paura.
Sono malato.

05 Ho freddo.
Ho caldo e sete.
Ho paura.
Sono dottore. Sono con un uomo malato.

06 Sono fiero di mio figlio.
Sono ficro della mia automobile.
Sono snello.
Sono grosso.

07 Sono fuori dalla banca.
Sono al posto di polizia.
Sono ricco.
Sono dentro la banca.

08 Ahi! Mi ha fatto male al piede.
Porto un cappello.
Porto una gonna blu.
Sono imbarazzato.

09 Sono malato. Lei non è malata. Lei è infermiera.
Sono dottore. Non sono malato. Lui è malato.
Sto riparando un'automobile.
Sto lavorando sui denti di qualcuno.

10 Sto cuocendo il pane.
Sto scrivendo a macchina.
Sto insegnando agli studenti.
Stiamo leggendo.

6-12 Ripasso Unità Sei

01 Questa gente è in una sfilata.
Questa gente era in una sfilata.
L'uomo è nel camion.
L'uomo era nel camion.

02 La donna entrerà nell'edificio.
La donna sta entrando nell'edificio.
L'uomo chiuderà il portabagagli dell'automobile.
L'uomo ha chiuso il portabagagli dell'automobile.

03 Questa coppia è vestita a festa.
Questa coppia non è vestita a festa.
Questi uomini sono vestiti a festa.
Questi uomini non sono vestiti a festa.

04 due rotoli di salviette di carta
un sacchetto di carta pieno
un sacchetto di plastica vuoto
un sacchetto di carta vuoto

05 Tutte e due le persone stanno cantando.
Nessuna di queste persone sta cantando.
Solo una di queste persone sta cantando.
Tutte e sei queste persone stanno cantando.

06 Il padre e i figli stanno scavando.
Il padre e i figli stavano scavando.
Il cane sta guardando il libro.
Il cane stava guardando il libro.

07 La donna solleverà il gatto.
La donna sta sollevando il gatto.
La donna ha sollevato il gatto e lo sta tenendo
in braccio.
La donna sta leggendo il giornale.

08 un servizio di posate
un coppia di gemelli
una scacchiera
un servizio di piatti

09 La cantante con il microfono rosso sta cantando
da sola.
La cantante sta cantando con un'amica.
La donna sta cantando con il coro.
La donna sta cantando da sola mentre suona
il piano.

10 Sono poliziotto.
Sono dentista.
Sono falegname.
Sono scienziata.

7-01 Altri verbi

01 La ragazza sta salendo sulla barca.
Il ragazzo sta uscendo dall'acqua.
Il ragazzo è uscito dall'acqua.
Il ragazzo uscirà dall'acqua.

02 L'uomo e la donna stanno indicando.
Tutte e due le donne stanno indicando.
Il ragazzo a sinistra sta indicando.
Una donna sta indicando e una donna non sta
indicando.

03 L'uomo sta facendo volare un aquilone.
L'uomo sta cercando di far volare un aquilone.
Ci sono tre aquiloni per terra.
Il bambino sta facendo volare un aquilone.

04 Il bambino sta guardando in basso.
Il bambino sta guardando in alto.
Il pagliaccio sta guardando in basso.
Il pagliaccio sta guardando in alto.

05 Il bambino con la camicia rossa sta facendo
volare un aquilone.
Il bambino sta bevendo da un bicchiere di carta e
sta facendo volare un aquilone.
L'uomo sta cercando di aprire la bocca della
mucca.
Un uomo sta cercando di far volare un aquilone.

06 Il bambino in blu sarà colpito da terriccio.
Il bambino è stato colpito da terriccio.
L'uomo sta lavorando.
L'uomo non sta lavorando.

07 Il padre sta leggendo ai suoi figli.
Il padre sta lavorando con i suoi figli.
Il padre ha una pala in una mano e un libro
nell'altra.
Il padre sta leggendo al cane.

08 I cavalli stanno lavorando.
I cavalli non stanno lavorando.
Il padre sta indicando.
Il padre e i ragazzi stanno lavorando.

09 I ragazzi stanno tirando il rastrello.
Il bambino sta scavando.
Il bambino in bianco sta prendendo il rastrello.
Il bambino in blu sta prendendo il rastrello.

10 La bambina darà il fieno ai cavalli.
La bambina sta dando il fieno ai cavalli.
La bambina ha dato il fieno ai cavalli.
Il mandriano darà il fieno alla mucca.

7-02 Altri verbi; aggettivi e pronomi interrogativi; di solito

01 Il cigno batte le ali.
Questi uccelli hanno disteso le ali.
L'uccello sulle mani dell'uomo ha le ali distese.
L'uccello non ha le ali distese.

02 I cammelli hanno quattro zampe.
Le persone hanno due gambe.
Le anatre hanno due zampe.
Gli elefanti hanno quattro zampe.

03 Gli astronauti portano tute spaziali.
Qualche volta, le ragazze portano i vestiti.
Gli aerei hanno le ali.
Gli uccelli hanno le ali.

04 Gli orologi hanno le lancette.
Le biciclette hanno le ruote.
I marinai vivono sulle navi.
I soldati portano le armi da fuoco.

05 Chi porta tute spaziali?
Chi porta i vestiti?
Chi porta le armi da fuoco?
Chi vive su una nave?

06 Quale animale ha solo due zampe?
Quale animale ha quattro zampe per terra?
Quale animale ha due zampe per terra e due
zampe non per terra?
Quale animale non ha tutte e quattro le zampe
per terra?

07 Questa persona vende il pane.
Questa persona vende gli occhiali da sole.
Questa persona vende i pomodori.
Questa persona vende le piante.

08 I cavalli portano la gente, ma questo cavallo non
sta portando nessuno.
Questo cavallo sta portando qualcuno.
Gli aerei volano, ma quest'aereo non sta
volando.
Gli aerei volano e quest'aereo sta volando.

09 L'operaio sta portando un elmetto protettivo.
L'operaio di solito porta un elmetto protettivo,
ma ora non ne sta portando uno.
I soldati portano le armi da fuoco, ma ora questi
soldati non ne stanno portando.
I soldati portano le armi da fuoco e anche questi
soldati ne stanno portando.

10 I ragazzi giovani con gli abiti blu stanno cantando.
I ragazzi giovani con gli abiti blu cantano, ma
ora non stanno cantando.
I cani di solito non portano gli indumenti e
questo cane non sta portando un indumento.
I cani di solito non portano gli indumenti, ma
questo cane sta portando un indumento.

7-03 Velocemente e lentamente

01   La donna sta correndo velocemente.
      Gli uomini stanno correndo in bicicletta
      velocemente.
      Il ragazzo sta sciando velocemente.
      Il cavallo sta correndo velocemente.

02   Il cavallo non sta correndo velocemente. Sta
      camminando lentamente.
      L'automobile sta andando lentamente.
      L'automobile sta andando velocemente.
      La donna sta cavalcando velocemente.

03   Il cavallo va velocemente.
      Il cavallo va lentamente.
      Il cavallo non va affatto.
      Il toro va velocemente.

04   La donna sta nuotando velocemente.
      Il nuotatore è nell'acqua, ma ora non sta
      nuotando.
      Lo sciatore sta sciando molto velocemente.
      Lo sciatore sta sciando molto lentamente.

05   La bambina si sta mettendo i pattini.
      La bambina sta pattinando.
      Lo sciatore sta sciando in discesa.
      Lo sciatore ha saltato.

06   una pattinatrice
      uno sciatore
      una nuotatrice
      un corridore

07   Il ciclista sta andando lentamente in bicicletta.
      La nuotatrice sta nuotando nell'acqua.
      La statua non si muove.
      Qualcuno sta attraversando rapidamente la strada.

08   I soldati in rosso stanno fermi.
      I soldati in nero restano fermi.
      Gli astronauti stanno fermi.
      La pattinatrice resta ferma.

09   I ciclisti si muovono velocemente.
      I ciclisti si muovono lentamente.
      L'aereo si muove velocemente.
      L'aereo si muove lentamente.

10   Questo non è un animale e si muove lentamente.
      Questo non è un animale e si muove velocemente.
      Questo è un animale che si muove lentamente.
      Questo è un animale che si muove velocemente.

7-04 Le stagioni

01   La casa è davanti a molti alberi verdi.
      L'automobile è in una strada tra gli alberi verdi.
      Le automobili sono in un parcheggio tra gli
      alberi bianchi e rosa.
      Un albero verde è davanti all'edificio bianco.

02   Non fa freddo. Gli alberi sono verdi.
      Fa freddo. Gli alberi sono coperti di neve.
      Non fa freddo. C'è un albero rosa davanti
      all'edificio bianco.
      Fa caldo. C'è un albero rosa e un albero bianco.

03   C'è neve sulla montagna dietro l'aereo rosso.
      Non c'è neve sulla montagna dove l'uomo in
      rosso e nero sta in piedi.
      C'è neve sulla montagna dietro l'uomo in rosso
      e nero.
      Non c'è neve sulla montagna e non c'è un uomo
      sulla montagna.

04   È inverno. La neve è sulla montagna.
      È inverno. La neve è sugli alberi.
      È autunno. Gli alberi sono gialli.
      È primavera. Gli alberi sono rosa e bianchi.

05   È inverno. La neve è sugli alberi.
      È estate. Gli alberi sono verdi.
      È estate. La gente è nella piscina.
      È autunno. Gli alberi sono gialli e le foglie sono
      per terra.

06   inverno
      estate
      primavera
      autunno

07   estate
      autunno
      inverno
      primavera

08   Il sole sta calando. Si chiama tramonto.
      un ponte di notte
      un ponte di giorno
      una città di notte

09   Il sole sta sorgendo. Si chiama alba.
      Vediamo la luna di notte.
      un edificio di notte
      un edificio di giorno

10   È inverno. È giorno.
      È inverno. È notte.
      È estate. È giorno.
      È estate. È notte.

7-05   Tutti/e, nessuno/a, alcuni/e, tutti/e e due, la maggior parte, uno/a

01   I fiori sono bianchi.
I fiori sono rossi.
I fiori sono gialli.
I fiori sono blu.

02   Tutti i fiori sono bianchi.
Tutti i fiori sono rossi.
Tutti i fiori sono gialli.
Tutti i fiori sono blu.

03   Alcuni fiori sono bianchi.
Alcuni fiori sono blu.
Alcuni piatti sono gialli.
Alcune persone portano i cappelli.

04   Alcuni fiori sono gialli e alcuni sono bianchi.
Alcuni fiori sono gialli e alcuni sono blu.
Alcune mele sono rosse e alcune sono verdi.
Alcune persone sono donne e alcune sono
uomini.

05   La maggior parte delle persone porta i cappelli
gialli, ma una no.
La maggior parte dei fiori è bianca, ma alcuni
sono gialli.
La maggior parte del fiore è rossa, ma una parte
è nera.
La maggior parte del fiore è rossa, ma una parte
è gialla.

06   Tutti e due gli animali sono cavalli.
Tutti e due i fiori sono bianchi e gialli.
Tutte e due le persone sono bambine.
Tutti e due gli uccelli sono anatre.

07   Tutti e due gli animali sono cavalli.
Nessuno dei due animali è un cavallo.
Tutte e due le persone sono bambine.
Nessuna delle due persone è una bambina.

08   Alcuni fiori sono rossi.
Nessuno dei fiori è rosso.
Una delle anatre è bianca.
Nessuna delle anatre è bianca.

09   Alcuni di questi fiori sono gialli e gli altri sono
blu.
Tutti questi fiori sono gialli.
Una di queste anatre ha una testa bianca e l'altra
ha una testa verde.
Tutte queste anatre hanno le teste nere.

10   Tutte e due queste persone stanno indicando.
Nessuna delle due persone sta indicando.
Una persona sta indicando, l'altra no.
Uno di questi animali è un uccello, ma l'altro no.

7-06   Nessuno/a e tutti/e e due; aggettivi dimostrativi

01   Questa persona è una donna.
Quest'animale è un cane.
Questa persona è una bambina.
Quest'animale è un cavallo.

02   Questa persona non è una bambina.
Quest'animale non è un cavallo.
Questa persona non è una donna.
Quest'animale non è un cane.

03   Queste persone sono uomini.
Queste persone sono donne.
Questi animali sono pesci.
Questi animali sono cavalli.

04   Nessuna di queste persone è una donna.
Nessuna di queste persone è un uomo.
Nessuno di questi animali è un cavallo.
Nessuno di questi animali è un pesce.

05   Tutte queste persone sono bambini.
Nessuna di queste persone è un bambino.
Tutti questi animali sono mucche.
Nessuno di questi animali è una mucca.

06   Nessuna di queste persone è una bambina.
Tutte queste persone sono bambine.
Nessuno di questi animali è un pesce.
Tutti questi animali sono pesci.

07   Queste due persone stanno bevendo il latte.
Queste due persone stanno indicando il latte.
Una di queste persone sta indicando l'altra
persona.
Queste due persone stanno cavalcando.

08   Tutte e due queste persone stanno bevendo
il latte.
Tutte e due queste persone stanno indicando
il latte.
Solo una di queste persone sta indicando.
Tutte e due queste persone stanno cavalcando.

09   Nessuna di queste persone sta bevendo il latte.
Una di queste persone sta bevendo il latte.
Tutte e due le persone stanno bevendo il latte.
Una persona sta bevendo il succo d'arancia.

10   La donna sta bevendo il latte, ma la bambina no.
La bambina sta bevendo il latte, ma la donna no.
La donna e la bambina bevono tutte e due
il latte.
Qualcuno sta bevendo, ma non sta bevendo
il latte.

7-07   Figure geometriche e posizioni; preposizioni articolate; tutti/e, la maggior parte

01   un cerchio verde
un rettangolo verde
un quadrato blu
un rettangolo blu

02   Il cerchio è davanti al rettangolo.
Il quadrato è davanti al triangolo.
Il cerchio è dietro il rettangolo.
Il quadrato è dietro il triangolo.

03   Il bambino è dietro l'albero.
Il bambino è davanti all'albero.
L'acqua è dietro il latte.
L'acqua è davanti al latte.

04   Un cerchio è rotondo.
Una palla è rotonda.
Un quadrato non è rotondo.
Quest'edificio non è rotondo.

05   Questa finestra è rotonda.
Questa finestra è quadrata.
Quest'orologio è rotondo.
Quest'orologio è quadrato.

06   C'è un cerchio intorno a questo rettangolo.
C'è un quadrato intorno a questo rettangolo.
Ci sono fiori gialli intorno ai fiori blu.
Le poltrone sono intorno al tavolo.

07   La maggior parte dei quadrati è accanto
al cerchio.
Il cerchio è sopra la maggior parte dei quadrati.
La maggior parte dei triangoli è sopra il
rettangolo.
La maggior parte dei triangoli è dentro il
rettangolo.

08   La maggior parte dei cerchi è intorno al
rettangolo, ma non tutti.
Tutti i cerchi sono intorno al rettangolo.
La maggior parte dei cerchi è davanti al
rettangolo, ma non tutti.
Tutti i cerchi sono davanti al rettangolo.

09   Tutte le persone portano i cappelli gialli.
La maggior parte delle persone porta i cappelli
gialli.
Tutte le persone portano il bianco.
La maggior parte delle persone porta il bianco.

10   Il cerchio è davanti al quadrato.
Il cerchio è dietro il quadrato.
Il cerchio è sopra il quadrato.
Il cerchio è sotto il quadrato.

7-08   Destra e sinistra, pieno e vuoto

01   L'uomo sta indicando con la mano destra.
L'uomo sta indicando con la mano sinistra.
Il ragazzo sta calciando con il piede destro.
Il ragazzo sta calciando con il piede sinistro.

02   L'uomo ha le caramelle nella mano sinistra.
L'uomo ha le caramelle nella mano destra.
Il bicchiere a sinistra ha del latte.
Il bicchiere a destra ha del latte.

03   La mano sinistra dell'uomo è piena di caramelle.
La mano destra dell'uomo è piena di caramelle.
Il bicchiere a sinistra è pieno di latte.
Il bicchiere a destra è pieno di latte.

04   La mano sinistra dell'uomo è piena di caramelle,
ma la mano destra è vuota.
La mano destra dell'uomo è piena di caramelle,
ma la mano sinistra è vuota.
Il bicchiere a sinistra è pieno di latte, ma il
bicchiere a destra è vuoto.
Il bicchiere a destra è pieno di latte, ma il
bicchiere a sinistra è vuoto.

05   Il bicchiere è vuoto.
Il bicchiere è pieno di latte.
Il bicchiere è pieno d'acqua.
Il bicchiere è pieno di succo d'arancia.

06   Il bicchiere a sinistra è pieno di latte e il
bicchiere a destra è pieno d'acqua.
Il bicchiere a destra è pieno di latte e il bicchiere
a sinistra è pieno di latte.
Il bicchiere a sinistra è pieno d'acqua, ma il
bicchiere a destra è vuoto.
Il bicchiere a destra è pieno d'acqua, ma il
bicchiere a sinistra è vuoto.

07   Da quale parte delle porte è l'uomo? Lui è a
sinistra.
Da quale parte delle porte è l'uomo? Lui è a
destra.
Da quale parte del numero è l'uomo? Lui è a
destra.
Da quale parte del numero è l'uomo? Lui è a
sinistra.

08   L'albero a destra ha molti fiori bianchi.
L'albero a sinistra ha molti fiori bianchi.
Ci sono molte persone a sinistra, ma solo alcune
a destra.
Ci sono molte persone a destra, ma solo alcune
a sinistra.

09 La donna sta scrivendo con la mano destra? Sì.
La donna sta scrivendo con la mano sinistra? Sì.
Quale donna sta indicando con la mano destra?
Quella a sinistra.
Quale donna sta indicando con la mano sinistra?
Quella a destra.

10 Qualcuno sta camminando davanti alle porte
a destra.
Qualcuno sta camminando davanti alle porte
a sinistra.
Qualcuno sta camminando davanti alle porte a
sinistra e qualcuno sta camminando davanti alle
porte a destra.
Qualcuno sta camminando davanti alle porte
nel mezzo.

01 Il ponte è sopra la strada.
La donna tiene una palla sopra la testa.
La statua di un leone è al di sopra dell'uomo.
Sopra la porta c'è il numero "trecentotré".

02 La strada è sotto il ponte.
La donna è sotto la palla.
L'uomo è al di sotto della statua di un leone.
La porta è sotto il numero "trecentotré".

03 L'uomo giovane sta cercando di prendere il
cappello che è al di sopra della sua testa.
L'uomo giovane sta tenendo un cappello al di
sotto della sua testa.
Vediamo il treno di sotto.
Vediamo il treno di sopra.

04 L'aereo sta volando al di sopra delle nuvole.
L'aereo sta volando al di sotto delle nuvole.
L'aereo sta volando davanti alla montagna
coperta di neve.
L'aereo sta volando davanti al sole calante.

05 La maggior parte delle persone è seduta, ma una
è in piedi.
La maggior parte delle persone è in piedi, ma
una è seduta.
La maggior parte delle persone sta salendo, ma
alcune stanno scendendo.
La maggior parte delle persone sta scendendo.
Solo alcune stanno salendo.

06 La maggior parte delle mucche è coricata, ma
alcune stanno in piedi.
La maggior parte delle mucche sta in piedi, ma
alcune sono coricate.
La maggior parte di queste persone sono
bambini, ma alcune sono adulti.
La maggior parte delle sedie è occupata. Solo
alcune sono vuote.

07 Molte persone stanno scendendo, ma solo alcune
stanno salendo.
Solo alcune persone stanno scendendo, ma molte
stanno salendo.
Ci sono molti palloncini nel cielo.
Ci sono solo alcuni palloncini nel cielo.

08 Molte persone sono sedute sulle sedie.
Solo due persone sono sedute sulle sedie.
Solo una persona è seduta in una sedia.
Nessuno è seduto in una sedia.

09 Molte persone stanno andando in bicicletta.
Solo alcune persone stanno andando in bicicletta.
Solo una persona sta andando in bicicletta.
Nessuno sta andando in bicicletta.

10 Solo uno di questi telefoni è rosso.
Solo uno di questi telefoni viene usato.
La maggior parte di queste armi è appoggiata a un muro.
Nessuna di queste armi è appoggiata a un muro.

01 Il bambino salterà.
Il bambino sta saltando.
Il bambino ha saltato.
Il bambino sta nuotando.

02 Il bambino salterà le pertiche.
Il bambino sta saltando le pertiche.
Il bambino ha saltato le pertiche.
Il bambino sta nuotando sottacqua.

03 I bambini si stanno arrampicando sull'albero.
I bambini stanno scivolando.
L'operaio sta salendo la scala a pioli.
Il bambino sta scalando una montagna.

04 Loro stanno guardando in alto.
Loro stanno guardando in basso.
Lui sta guardando attraverso la finestra.
Lui sta guardando la finestra.

05 Il mandriano sta cercando di cavalcare il toro, sta cadendo.
Il mandriano non può cavalcare il toro.
Il bambino sta cercando di saltare un ostacolo.
Il bambino è caduto.

06 Il cane ha un frisbee in bocca.
Il cane ha un cappello in bocca.
La bocca del cane è aperta e vuota.
La bocca del cane è chiusa e vuota.

07 Il cane sta cercando di prendere il frisbee.
Il cane ha preso il frisbee.
Il mandriano sta cercando di prendere il vitello.
Il mandriano ha preso il vitello.

08 L'uomo sta usando una corda.
La donna sta usando una macchina fotografica.
L'uomo sta usando una penna.
Questa gente sta usando una barca.

09 Lui sta usando una corda per scalare la montagna.
Lei sta usando una macchina fotografica per fare una fotografia.
Lui sta usando una penna per scrivere.
Loro stanno usando una barca per attraversare l'acqua.

10 Il mandriano sta usando una corda per prendere il vitello.
Il mandriano sta usando una corda per legare il vitello.
Il mandriano sta prendendo il vitello senza usare una corda.
Il mandriano sta sollevando il vitello.

7-11 Coniugazione dei verbi

01   Sto saltando.
      Sto bevendo il latte.
      Sto cadendo.
      Sto tagliando la carta.

02   Sto saltando.
      Ho saltato.
      Sto bevendo il latte.
      Ho bevuto il latte.

03   Sto cadendo.
      Sono caduta.
      Sto tagliando la carta.
      Ho tagliato la carta.

04   Salterò.
      Berrò il latte.
      Cadrò.
      Taglierò la carta.

05   Salterò nell'acqua.
      Sto saltando nell'acqua.
      Sono saltato nell'acqua.
      Stiamo saltando nell'acqua.

06   Noi non salteremo. Lui salterà.
      Noi non stiamo saltando. Lui sta saltando.
      Noi non abbiamo saltato. Lui ha saltato.
      Stiamo tutti saltando insieme.

07   Io salterò. Loro non salteranno.
      Io sto saltando. Loro non stanno saltando.
      Io ho saltato. Loro non hanno saltato.
      Stiamo tutti saltando insieme.

08   Cadrò.
      Sto cadendo.
      Sono caduta.
      Salterò.

09   Berrò il latte.
      Sto bevendo il latte.
      Ho bevuto il latte.
      Mangerò il pane.

10   Mangerò il pane.
      Sto mangiando il pane.
      Ho mangiato un po' di pane.
      Porto un cappello.

7-12 Ripasso Unità Sette

01   La ragazza sta salendo sulla barca.
      Il ragazzo sta uscendo dall'acqua.
      Il ragazzo è uscito dall'acqua.
      Il ragazzo uscirà dall'acqua.

02   I cavalli portano la gente, ma questo cavallo non
      sta portando nessuno.
      Questo cavallo sta portando qualcuno.
      Gli aerei volano, ma quest'aereo non sta volando.
      Gli aerei volano e quest'aereo sta volando.

03   I ciclisti si muovono velocemente.
      I ciclisti si muovono lentamente.
      L'aereo si muove velocemente.
      L'aereo si muove lentamente.

04   È inverno. La neve è sugli alberi.
      È estate. Gli alberi sono verdi.
      È estate. La gente è nella piscina.
      È autunno. Gli alberi sono gialli e le foglie sono
      per terra.

05   Alcuni di questi fiori sono gialli e gli altri sono
      blu.
      Tutti questi fiori sono gialli.
      Una di queste anatre ha una testa bianca e l'altra
      ha una testa verde.
      Tutte queste anatre hanno le teste nere.

06   Nessuna di queste persone sta bevendo il latte.
      Una di queste persone sta bevendo il latte.
      Tutte e due le persone stanno bevendo il latte.
      Una persona sta bevendo il succo d'arancia.

07   Il bambino è dietro l'albero.
      Il bambino è davanti all'albero.
      L'acqua è dietro il latte.
      L'acqua è davanti al latte.

08   L'aereo sta volando al di sopra delle nuvole.
      L'aereo sta volando al di sotto delle nuvole.
      L'aereo sta volando davanti alla montagna
      coperta di neve.
      L'aereo sta volando davanti al sole calante.

09   Il mandriano sta usando una corda per prendere
      il vitello.
      Il mandriano sta usando una corda per legare
      il vitello.
      Il mandriano sta prendendo il vitello senza usare
      una corda.
      Il mandriano sta sollevando il vitello.

10   Noi non salteremo. Lui salterà.
      Noi non stiamo saltando. Lui sta saltando.
      Noi non abbiamo saltato. Lui ha saltato.
      Stiamo tutti saltando insieme.

8-01   Numeri ordinali

01   Il primo numero è due.
Il primo numero è uno.
Il primo numero è quattro.
Il primo numero è nove.

02   Il secondo numero è nove.
Il secondo numero è otto.
Il secondo numero è cinque.
Il secondo numero è sei.

03   Il terzo numero è tre.
Il quarto numero è sette.
Il quarto numero è nove.
Il terzo numero è zero.

04   L'ultimo numero è nove.
L'ultimo numero è tre.
L'ultimo numero è uno.
L'ultimo numero è sette.

05   Il primo numero è zero.
Il secondo numero è zero.
Il terzo numero è zero e il quarto numero non
è zero.
Il terzo numero è zero e il quarto numero è zero.

06   Gli ultimi due numeri sono tre.
I primi due numeri sono due.
Gli ultimi due numeri sono zero.
Gli ultimi tre numeri sono uno.

07   Il secondo numero e il quarto numero sono tre.
Il primo numero e l'ultimo numero sono tre.
Il terzo numero e l'ultimo numero sono uno.
Il primo numero e l'ultimo numero sono uno.

08   I primi due numeri sono due e l'ultimo numero
è sei.
I primi due numeri sono due e l'ultimo numero
è otto.
Il primo numero è due, il secondo numero è
cinque, il terzo numero è zero e l'ultimo numero
è nove.
Il primo numero è due, il secondo numero è
cinque, il terzo numero è zero e l'ultimo numero
è sette.

09   La seconda persona e l'ultima persona sono
sedute.
La seconda persona e la terza persona sono
sedute.
La prima persona e la quarta persona sono
sedute.
La prima persona e la seconda persona sono
sedute.

10   La prima persona e la terza persona stanno
in piedi.
La prima persona e l'ultima persona stanno
in piedi.
La seconda persona e la terza persona stanno
in piedi.
La terza persona e la quarta persona stanno
in piedi.

8-02 Essere e non essere; altre azioni nel presente indicativo

01 Sto cavalcando.
Non cavalco più.
Stiamo andando in bicicletta.
Non andiamo più in bicicletta.

02 Stiamo correndo.
Non corriamo più.
Stiamo cantando.
Non cantiamo più.

03 Stiamo cantando.
Non cantiamo più.
Mi sto vestendo.
Non mi vesto più.

04 Sto mangiando.
Sto parlando al telefono.
Sono la donna che non sta nè parlando al
telefono nè mangiando.
Sono un uomo che non sta nè parlando al
telefono nè mangiando.

05 Sto cantando e suonando il piano.
Non sto nè cantando nè suonando il piano.
Stiamo suonando i tamburi e sorridendo.
Non stiamo nè suonando i tamburi nè sorridendo.

06 Stiamo cantando tutti e due.
Nessuno di noi sta cantando.
Solo una di noi sta cantando.
Tutti e sei stiamo cantando.

07 Sto in piedi sul marciapiede.
Non sto più in piedi sul marciapiede.
Portiamo gli ombrelli.
Nessuno di noi sta in piedi.

08 Tutti e quattro stiamo camminando.
Siamo in quattro. Nessuno di noi sta
camminando.
Tutti e tre stiamo camminando.
Siamo in tre. Nessuno di noi sta camminando.

09 Tutti e due stiamo cantando.
Ci stiamo baciando.
Nessuno di noi due sta baciando e nessuno di
noi due sta cantando.
Io sto in piedi. Nessuno dei miei amici sta in
piedi.

10 Sia io che l'uomo portiamo gli ombrelli.
Nè io nè l'uomo portiamo un ombrello.
Sia io che mio figlio portiamo i cappelli.
Io e mio figlio non portiamo i cappelli.

8-03 Sembra, quasi, un, altri, quasi tutti, la maggior parte, tutti/e; aggettivi dimostrativi

01 Questo è un quadrato.
Questo sembra un quadrato, ma non lo è.
Questo è un triangolo.
Questo sembra un triangolo, ma non lo è.

02 Queste persone sono donne.
Queste persone sembrano donne, ma non lo
sono. Sono manichini.
Queste persone sono astronauti.
Queste persone sembrano astronauti, ma non
lo sono.

03 Tutte queste forme sono cerchi.
Tutte queste forme sono triangoli.
Tre di queste forme sono cerchi e una è un
triangolo.
Due di queste forme sono rosse e due sono blu.

04 Il cerchio nero è in alto a destra.
Il cerchio nero è in alto a sinistra.
Il triangolo nero è in basso a destra.
Il triangolo nero è in basso a sinistra.

05 Parecchi cerchi sono neri.
Quasi tutti i cerchi sono gialli, ma uno è nero.
Parecchi triangoli sono neri.
Quasi tutti i triangoli sono gialli, ma uno è nero.

06 Quasi tutti i cerchi sono gialli.
Quasi tutti i cerchi sono neri.
Tutti i triangoli sono gialli.
Quasi tutti i triangoli sono gialli.

07 Quasi tutti i cerchi sono neri.
Quasi tutti i cerchi sono gialli.
Un cerchio è blu e gli altri sono rossi.
Solo un cerchio è rosso.

08 Quasi tutti i cerchi sono gialli e due sono blu.
Un cerchio è nero e gli altri sono gialli.
La maggior parte dei cerchi sono neri e uno
è verde.
La maggior parte dei cerchi sono rossi, e alcuni
sono verdi.

09 I cerchi blu sono grandi e quelli rossi sono
piccoli.
I cerchi rossi sono grandi e quelli blu sono
piccoli.
I triangoli sono sopra i cerchi.
I cerchi sono davanti ai triangoli.

10 La maggior parte dei quadrati neri sono grandi,
e tutti quelli bianchi sono piccoli.
Tutti i quadrati neri sono grandi, e la maggior
parte di quelli bianchi sono piccoli.
Alcuni dei triangoli grandi sono verdi, e tutti i
triangoli piccoli sono grigi.
Tutti i triangoli grandi sono verdi, e alcuni dei
triangoli piccoli sono grigi.

01   Saturno
     Africa
     una donna
     Cina

02   Questo pianeta si chiama Saturno.
     Questa persona è una donna.
     Questo paese si chiama Cina.
     Questo continente si chiama Africa.

03   un pianeta
     una persona
     un paese
     un continente

04   Questo pianeta è Saturno.
     Questa persona è una bambina.
     Il paese colorato in rosso è il Regno Unito.
     Questo continente è il Nord America.

05   Questo continente è l'Asia.
     Questo continente è l'Africa.
     Questo continente è il Sud America.
     Questo continente è l'Europa.

06   Il Brasile è il paese colorato in rosso su questa
     mappa.
     L'Argentina è il paese colorato in rosso su questa
     mappa.
     Il Cile è il paese colorato in rosso su questa
     mappa.
     Il Venezuela è il paese colorato in rosso su
     questa mappa.

07   Gli Stati Uniti d'America sono colorati in rosso
     su questa mappa.
     Il Canada è colorato in rosso su questa mappa.
     Il Messico è colorato in rosso su questa mappa.
     Il Giappone è colorato in rosso su questa mappa.

08   La Nigeria è il paese colorato in rosso su questa
     mappa.
     L'Egitto è il paese colorato in rosso su questa
     mappa.
     L'Algeria è il paese colorato in rosso su questa
     mappa.
     La Tanzania è il paese colorato in rosso su questa
     mappa.

09   La Germania è in Europa. È colorata in rosso su
     questa mappa.
     L'Italia è in Europa. È colorata in rosso su questa
     mappa.
     L'India è in Asia. È colorata in rosso su questa
     mappa.
     Il Vietnam è in Asia. È colorato in rosso su
     questa mappa.

10   La Cina è il paese asiatico colorato in rosso su
     questa mappa.
     La Corea è il paese asiatico colorato in rosso su
     questa mappa.
     La Spagna è il paese europeo colorato in rosso
     su questa mappa.
     La Russia è colorata in rosso su questa mappa.
     La Russia è in Europa e in Asia.

8-05 Strade e marciapiedi

01 Le automobili stanno andando nella strada.
Le automobili sono parcheggiate nella strada.
Questa gente sta in piedi sul marciapiede.
Questa gente sta camminando sul marciapiede.

02 L'automobile è in una strada di città.
L'automobile è nell'autostrada.
Il ponte attraversa l'autostrada.
Il ponte attraversa l'acqua.

03 Due ponti attraversano la strada.
C'è un'automobile nella strada che va tra gli
alberi.
La strada va verso la casa.
La strada va verso la montagna.

04 Questa gente sta attraversando le rotaie.
Questa gente sta in piedi accanto alle rotaie.
L'uomo sta attraversando la strada.
L'uomo sta in piedi nella strada.

05 Quali persone stanno andando in bicicletta sul
marciapiede?
Quali persone stanno andando in bicicletta nella
strada?
Alcune persone stanno andando a cavallo. Non
vanno nè sul marciapiede nè nella strada.
Quali persone sono sul marciapiede e non vanno
nè in bicicletta nè a cavallo?

06 Gli uccelli attraversano il marciapiede.
Il marciapiede è vuoto.
L'uomo attraversa la strada in bicicletta.
L'uomo attraversa la strada su una sedia a rotelle.

07 Gli uccelli stanno attraversando il marciapiede.
Lui sta attraversando la strada correndo.
Lui sta attraversando la strada in bicicletta.
Lui sta attraversando la strada su una sedia
a rotelle.

08 C'è un vicolo tra i due edifici.
Le rotaie del treno passano sopra la strada.
L'autobus sta andando sul marciapiede.
L'autobus sta andando sul ponte.

09 L'uomo sta pulendo la strada con una scopa.
Il trattore sta pulendo la strada.
L'uomo sta scavando nel buco che è nella strada.
La macchina sta scavando un buco nella strada.

10 La strada è piena di gente che va in bicicletta.
La strada è piena di gente che corre.
La strada è quasi vuota.
Il marciapiede è pieno di gente.

8-06 Animali da compagnia e abbigliamento; aggettivi possessivi

01 Qualcuno porta un maglione grigio.
Qualcuno porta una camicia blu.
Le bambine portano gonne nere.
Il bambino ha un cane nero.

02 Il maglione di qualcuno è grigio.
La camicia di qualcuno è blu.
Le gonne delle bambine sono nere.
Il cane del bambino è nero.

03 Questa camicia appartiene all'uomo.
Questa camicia non appartiene all'uomo.
I tamburi appartengono all'uomo.
Il cane appartiene al bambino.

04 Questo cappello appartiene alla donna.
Questo cappello non appartiene alla donna.
Questa camicia non appartiene al bambino.
Questa camicia appartiene al bambino.

05 Il cane appartiene al bambino. È l'animale da
compagnia del bambino.
Il cane appartiene alla donna. È l'animale da
compagnia della donna.
L'orso non appartiene a nessuno. Non è un
animale da compagnia.
La mucca appartiene a un contadino. Non è un
animale da compagnia.

06 Quest'animale è un animale da compagnia
grande.
Quest'animale è un animale da compagnia
piccolo.
Quest'animale non è un animale da compagnia,
ma è un vero animale.
Quest'animale non è un vero animale.

07 un cappello da donna
un cappello da uomo
Questa giacca appartiene al bambino.
Questa giacca non appartiene al bambino.

08 La donna sta accarezzando il suo cane.
La bambina sta accarezzando il suo cane.
L'uomo sta accarezzando il gatto.
L'uomo sta accarezzando il suo cane.

09 L'ombrello dell'uomo è nero.
Gli ombrelli degli uomini sono neri.
Il vestito della donna è blu.
I vestiti delle donne sono blu.

10 il cane del bambino
il padre del bambino
il padre della bambina
la madre della bambina

8-07   Aggettivi comparativi di maggioranza e minoranza, superlativi

01   La donna è più vecchia dell'uomo.
       L'uomo è più vecchio della donna.
       Il bambino è più alto della bambina.
       La bambina è più alta del bambino.

02   una donna giovane
       una donna più vecchia, ma non la più vecchia
       la donna più vecchia
       un bambino giovane

03   il bambino più vecchio
       il bambino più giovane, ma non il più giovane
       il bambino più giovane
       Lui è più vecchio di tutti i bambini. Lui è un uomo.

04   Quest'aereo sta volando più alto di tutti.
       Quest'aereo sta volando basso, vicino al suolo.
       Quest'aereo sta volando basso, ma non sta volando più basso di tutti.
       Quest'aereo non sta volando. È sul suolo.

05   Quale cane ha il colore più scuro?
       Quale cane ha il naso più corto?
       Quale cane ha il colore più chiaro?
       Quale cane sta andando più veloce?

06   Chi sembra il più felice?
       Chi sembra il più infelice?
       Chi sta correndo più veloce?
       Chi ha i capelli più lunghi?

07   Questo cane ha meno macchie dell'altro cane.
       Questo cane ha più macchie dell'altro cane.
       Questo leopardo ha più macchie dell'uno e dell'altro cane.
       Questa tigre ha le strisce, ma non le macchie.

08   Quest'animale ha il minor numero di macchie.
       Quest'animale è più macchiato, ma non è il più macchiato.
       Questo è l'animale più macchiato di tutti.
       Quest'animale è a strisce piuttosto che macchiato.

09   È pericoloso saltare da un cavallo su un vitello.
       I soldati combattono e questo è pericoloso.
       Cavalcare non è molto pericoloso.
       Sedersi su una sedia a casa non è affatto pericoloso.

10   Chi sta volando più alto di tutti?
       Chi sta correndo più veloce di tutti?
       Chi si sta bagnando più di tutti?
       Chi sta sentendo più freddo di tutti?

8-08   Vicino e lontano; forme comparative degli aggettivi

01   L'aereo è a terra.
       L'aereo è quasi a terra.
       L'aereo è lontano dalla terra.
       La nave è nell'acqua.

02   I corridori sono vicini l'uno all'altro.
       I corridori sono lontani l'uno dall'altro.
       Gli aerei stanno volando vicini l'uno all'altro.
       Gli aerei stanno volando lontani l'uno dall'altro.

03   Le pecore sono vicine l'una all'altra.
       La pecora è sola.
       Le mucche sono vicine l'una all'altra.
       Le mucche sono lontane l'una dall'altra.

04   Le persone stanno camminando una vicino all'altra.
       Le persone stanno camminando una lontano dall'altra.
       Le persone siedono una vicino all'altra.
       Le persone siedono una lontano dall'altra.

05   Il bambino in bianco è vicino al bambino in blu.
       Il bambino in bianco non è vicino al bambino in blu.
       L'aquilone è vicino all'uomo.
       L'aquilone è lontano dall'uomo.

06   Il fuoco è vicino.
       Il fuoco è lontano.
       Il cavallo è vicino.
       Il cavallo è lontano.

07   Il castello è vicino alle case.
       Il forte è lontano da tutte le case.
       L'uomo è vicino all'acqua.
       L'uomo è lontano dall'acqua.

08   In questa fotografia ci sono due mandriani che sono vicini l'uno all'altro.
       In questa fotografia ci sono due mandriani che sono lontani l'uno dall'altro.
       una faccia che è vicina
       una faccia che è lontana

09   L'automobile è più vicina dell'uomo.
       L'uomo è più vicino dell'automobile.
       L'automobile rossa è più vicina dell'automobile gialla.
       L'automobile rossa è più lontana dell'automobile gialla.

10   L'uomo è più lontano dell'automobile.
       L'automobile è più lontana dell'uomo.
       L'automobile gialla è più lontana dell'automobile rossa.
       L'automobile gialla è più vicina dell'automobile rossa.

8-09   Ubicazione di edifici e aree; preposizione articolate

01   una banca
un ristorante
un aeroporto
un'area di ricreazione

02   La biblioteca è accanto alla banca.
La chiesa è accanto alla banca.
L'ospedale è accanto all'area di ricreazione.
La stazione di servizio è accanto all'area di ricreazione.

03   La sinagoga è nella strada dal lato opposto al ristorante.
Il negozio di calzature è nella strada dal lato opposto al ristorante.
La farmacia è nella strada dal lato opposto alla stazione di servizio.
Il supermercato è nella strada dal lato opposto alla stazione di servizio.

04   L'albergo è accanto all'ospedale.
L'albergo è nella strada dal lato opposto all'ospedale.
L'area di ricreazione è accanto all'ospedale.
L'area di ricreazione è nella strada dal lato opposto all'ospedale.

05   Il panificio è dietro l'angolo dalla banca.
Il cinema è dietro l'angolo dalla banca.
Il panificio è a un isolato dalla strada dopo la banca.
Il cinema è a un isolato dalla strada dopo la banca.

06   La fermata della metropolitana è nella strada dal lato opposto alla banca.
La fermata della metropolitana è accanto alla banca.
La fermata della metropolitana è dietro l'angolo dalla banca.
La fermata della metropolitana è a un isolato dalla strada dopo la banca.

07   La chiesa è dietro l'angolo dall'area di ricreazione.
La sinagoga è accanto all'area di ricreazione.
La moschea è nella strada dal lato opposto all'area di ricreazione.
Il tempio indù è giù dalla strada dell'area di ricreazione.

08   Il panificio è accanto alla banca.
La prigione è accanto alla banca.
La stazione di polizia è dietro l'angolo dalla banca.
La stazione di polizia è accanto alla banca.

09   La fabbrica è accanto alla stazione ferroviaria.
L'università è accanto all'area di ricreazione.
Il ristorante è accanto alla stazione ferroviaria.
L'ospedale è accanto all'area di ricreazione.

10   L'aeroporto è accanto alla fabbrica.
Il panificio è nella strada dal lato opposto all'albergo.
Il panificio è nella strada dal lato opposto al cinema.
L'università è nella strada dal lato opposto all'albergo.

01   Dov'è la stazione ferroviaria?
Vada alla banca, giri a destra e prosegua per
un isolato.

Dov'è la stazione ferroviaria?
Vada alla banca, giri a sinistra e prosegua per
un isolato.

Dov'è la stazione ferroviaria?
Vada alla biblioteca, giri a sinistra e prosegua per
due isolati.

Dov'è la stazione ferroviaria?
Vada alla biblioteca, giri a destra e prosegua per
un isolato.

02   Dov'è la stazione di polizia?
Vada alla chiesa, giri a destra e prosegua per
quattro isolati. Là c'è la stazione di polizia.

Dov'è la stazione di polizia?
Vada alla chiesa, giri a sinistra e prosegua per
quattro isolati. Là c'è la stazione di polizia.

Dov'è la stazione di polizia?
Vada alla chiesa, giri a destra e prosegua per due
isolati. Là c'è la stazione di polizia.

Dov'è la stazione di polizia?
Vada alla chiesa, giri a sinistra e prosegua per
due isolati. Là c'è la stazione di polizia.

03   Dov'è l'ospedale?
Prosegua per due isolati fino a un ristorante. Poi
giri a destra e prosegua per tre isolati. Là c'è
l'ospedale.

Dov'è l'ospedale?
Prosegua per quattro isolati fino a un ristorante.
Poi giri a destra e prosegua per un isolato. Là
c'è l'ospedale.

Dov'è l'ospedale?
Prosegua per tre isolati fino a un ristorante. Poi
giri a sinistra e prosegua per tre isolati. Là c'è
l'ospedale.

Dov'è l'ospedale?
Prosegua per quattro isolati fino a un ristorante.
Poi giri a sinistra e prosegua per un isolato. Là
c'è l'ospedale.

04   Dov'è la fermata della metropolitana?
Prosegua per due isolati fino al panificio. Poi giri
a sinistra e prosegua per due isolati. La fermata
della metropolitana è là a sinistra.

Dov'è la fermata della metropolitana?
Prosegua per due isolati fino al panificio. Poi giri
a sinistra e prosegua per due isolati. La fermata
della metropolitana è là a destra.

Dov'è la fermata della metropolitana?
Prosegua per tre isolati fino all'albergo. Poi giri
a destra e prosegua per due isolati. La fermata
della metropolitana è là a destra.

Dov'è la fermata della metropolitana?
Prosegua per tre isolati fino all'albergo. Poi giri
a destra e prosegua per due isolati. La fermata
della metropolitana è là a sinistra.

05   Dov'è l'area di ricreazione?
Prosegua per due isolati fino alla moschea e giri
a sinistra. Prosegua per tre isolati. L'area di
ricreazione è là a destra.

Dov'è l'area di ricreazione?
Prosegua per tre isolati fino alla moschea e giri
a sinistra. Prosegua per due isolati. L'area di
ricreazione è là a destra.

Dov'è l'area di ricreazione?
Vada sempre dritto per quattro isolati. Là a
sinistra c'è l'area di ricreazione.

Dov'è l'area di ricreazione?
Vada sempre dritto per quattro isolati. Là a
destra c'è l'area di ricreazione.

06   Dov'è la stazione ferroviaria?
Prosegua su questa strada e passi la scuola.
Quando arriva alla stazione di polizia, giri a
destra. Prosegua per due isolati e là c'è la
stazione ferroviaria.

Dov'è la stazione ferroviaria?
Prosegua su questa strada e passi la scuola.
Quando arriva alla stazione di polizia, giri a
sinistra. Prosegua per due isolati e là c'è la
stazione ferroviaria.

Dov'è la stazione ferroviaria?
Prosegua su questa strada e passi l'ospedale.
Quando arriva alla stazione di polizia, giri a
destra. Prosegua per due isolati e là c'è la
stazione ferroviaria.

Dov'è la stazione ferroviaria?
Prosegua su questa strada e passi l'ospedale.
Quando arriva alla stazione di polizia, giri a
sinistra. Prosegua per due isolati e là c'è la
stazione ferroviaria.

07   Dov'è l'università?
Prosegua su questa strada e passi la chiesa che è a sinistra. Vada fino alla stazione di servizio e poi giri a sinistra. Prosegua per due isolati e là a destra c'è l'università.

Dov'è l'università?
Prosegua su questa strada e passi la chiesa che è a destra. Vada fino alla stazione di servizio e poi giri a sinistra. Prosegua per due isolati e là a destra c'è l'università.

Dov'è l'università?
Prosegua su questa strada e passi l'ospedale che è a sinistra. Vada fino alla stazione di servizio e poi giri a sinistra. Prosegua per due isolati e là a destra c'è l'università.

Dov'è l'università?
Prosegua su questa strada e passi l'ospedale che è a destra. Vada fino alla stazione di servizio e poi giri a sinistra. Prosegua per due isolati e là a destra c'è l'università.

08   Dov'è la chiesa?
Prosegua su questa strada, passi la biblioteca e vada fino alla scuola. Poi giri a destra, prosegua per due isolati e là c'è la chiesa.

Dov'è la chiesa?
Prosegua su questa strada, passi l'area di ricreazione e vada fino al negozio di calzature. Poi giri a destra, prosegua per due isolati e là c'è la chiesa.

Dov'è la chiesa?
Prosegua su questa strada, passi la scuola e vada fino alla biblioteca. Poi giri a destra e prosegua per due isolati e là c'è la chiesa.

Dov'è la chiesa?
Prosegua su questa strada, passi il negozio di calzature e vada fino all'area di ricreazione. Poi giri a destra e prosegua per due isolati e là c'è la chiesa.

09   Dov'è la stazione di servizio?
La strada della stazione di servizio è chiusa al traffico. Si giri, torni indietro e giri a destra. Prosegua per un isolato e poi giri a destra. Prosegua per quattro isolati e vada a destra. Prosegua per un isolato poi vada a destra e là c'è la stazione di servizio.

Dov'è la stazione di servizio?
La strada della stazione di servizio è chiusa al traffico. Si giri, torni indietro e giri a sinistra. Prosegua per un isolato e poi giri a sinistra. Prosegua per quattro isolati e vada a sinistra. Prosegua per un isolato poi vada a sinistra e là a destra c'è la stazione di servizio.

Dov'è la stazione di servizio?
La strada della stazione di servizio è chiusa al traffico. Si giri, torni indietro e giri a destra. Prosegua per un isolato e poi giri a destra. Prosegua per quattro isolati e vada a destra. Prosegua per un isolato e poi vada a sinistra e là c'è la stazione di servizio.

Dov'è la stazione di servizio?
La strada della stazione di servizio è chiusa al traffico. Si giri, torni indietro e giri a sinistra. Prosegua per un isolato e poi giri a sinistra. Prosegua per quattro isolati e vada a sinistra. Prosegua per un isolato e vada a sinistra e là a sinistra c'è la stazione di servizio.

10   Dov'è l'ospedale?
Prosegua su questa strada fino alla biforcazione, poi vada a destra.

Dov'è l'ospedale?
Prosegua su questa strada fino alla biforcazione, poi vada a sinistra.

Dov'è l'ospedale?
Prosegua fino alla fine di questa strada. Giri a sinistra. Prosegua per quattro isolati e là a sinistra c'è l'ospedale.

Dov'è l'ospedale?
Prosegua fino alla fine di questa strada. Giri a destra. Prosegua per quattro isolati e là a destra c'è l'ospedale.

01   Siamo in una corsa ciclistica.
Eravamo in una corsa ciclistica.
Ho un cappello in testa.
Avevo un cappello in testa.

02   Sto leggendo.
Stavo leggendo.
Sto pescando.
Stavo pescando.

03   Sto saltando alla corda. I bambini stanno tenendo
la corda.
Stavamo saltando alla corda.
Sto bevendo.
Stavo bevendo.

04   Io e i miei figli stiamo scavando.
Io e i miei figli stavamo scavando.
Sto salendo la scala a pioli.
Ho salito la scala a pioli.

05   Porto una camicia che è troppo piccola.
Portavo una camicia che era troppo piccola.
Porto la mia propria camicia.
Porto la camicia che portava mio padre.

06   Sto suonando la chitarra.
Stavo suonando la chitarra.
Sto tenendo la chitarra.
Stavo tenendo la chitarra, ma ora l'ha il bambino.

07   Solleverò il gatto.
Sto sollevando il gatto.
Ho sollevato il gatto e lo sto tenendo tra le mie
braccia.
Sto leggendo il giornale.

08   Mi metterò il vestito.
Mi sto mettendo il vestito.
Mi sono messa il vestito.
Mi sto mettendo una camicia.

09   Verserò l'acqua sulla mia testa.
Sto versando l'acqua sulla mia testa.
Leggerò il libro.
Sto leggendo il libro.

10   Correremo.
Stiamo correndo.
Abbiamo corso.
Sto correndo.

01   Il secondo numero e il quarto numero sono tre.
Il primo numero e l'ultimo numero sono tre.
Il terzo numero e l'ultimo numero sono uno.
Il primo numero e l'ultimo numero sono uno.

02   Sto cantando e suonando il piano.
Non sto nè cantando nè suonando il piano.
Stiamo suonando i tamburi e sorridendo.
Non stiamo nè suonando i tamburi nè sorridendo.

03   La maggior parte dei quadrati neri sono grandi,
e tutti quelli bianchi sono piccoli.
Tutti i quadrati neri sono grandi, e la maggior
parte di quelli bianchi sono piccoli.
Alcuni dei triangoli grandi sono verdi, e tutti i
triangoli piccoli sono grigi.
Tutti i triangoli grandi sono verdi, e alcuni dei
triangoli piccoli sono grigi.

04   La Cina è il paese asiatico colorato in rosso su
questa mappa.
La Corea è il paese asiatico colorato in rosso su
questa mappa.
La Spagna è il paese europeo colorato in rosso
su questa mappa.
La Russia è colorata in rosso su questa mappa.
La Russia è in Europa e in Asia.

05   Due ponti attraversano la strada.
C'è un'automobile nella strada che va tra gli
alberi.
La strada va verso la casa.
La strada va verso la montagna.

06   Il cane appartiene al bambino. È l'animale da
compagnia del bambino.
Il cane appartiene alla donna. È l'animale da
compagnia della donna.
L'orso non appartiene a nessuno. Non è un
animale da compagnia.
La mucca appartiene a un contadino. Non è un
animale da compagnia.

07   Quest'aereo sta volando più alto di tutti.
Quest'aereo sta volando basso, vicino al suolo.
Quest'aereo sta volando basso, ma non sta
volando più basso di tutti.
Quest'aereo non sta volando. È sul suolo.

08   Le persone stanno camminando una vicino
      all'altra.
      Le persone stanno camminando una lontano
      dall'altra.
      Le persone siedono una vicino all'altra.
      Le persone siedono una lontano dall'altra.

09   Dov'è l'università?
      Prosegua su questa strada e passi la chiesa che è
      a sinistra. Vada fino alla stazione di servizio e
      poi giri a sinistra. Prosegua per due isolati e là
      a destra c'è l'università.

      Dov'è l'università?
      Prosegua su questa strada e passi la chiesa che è
      a destra. Vada fino alla stazione di servizio e poi
      giri a sinistra. Prosegua per due isolati e là a
      destra c'è l'università.

      Dov'è l'università?
      Prosegua su questa strada e passi l'ospedale che
      è a sinistra. Vada fino alla stazione di servizio e
      poi giri a sinistra. Prosegua per due isolati e là a
      destra c'è l'università.

      Dov'è l'università?
      Prosegua su questa strada e passi l'ospedale che
      è a destra. Vada fino alla stazione di servizio e
      poi giri a sinistra. Prosegua per due isolati e là a
      destra c'è l'università.

10   Porto una camicia che è troppo piccola.
      Portavo una camicia che era troppo piccola.
      Porto la mia propria camicia.
      Porto la camicia che portava mio padre.

ALFABETO

Alfabeto

A	a
B	b
C	c
D	d
E	e
F	f
G	g
H	h
I	i
L	l
M	m
N	n
O	o
P	p
Q	q
R	r
S	s
T	t
U	u
V	v
Z	z

INDICE

Indice

In questo indice, ogni parola è seguita dall'Unità e dalla Lezione corrispondente. Il numero di volte che la parola appare in ogni lezione è indicato in parentesi.

In this index, each word is followed by the Unit and Lesson in which it occurs. The number of times that the word appears in the lesson is enclosed in parentheses.

Dans cet index, chaque mot est suivi de la Partie et de la Leçon correspondantes. Le nombre de fois où le mot apparaît dans chaque leçon est indiqué entre parenthèses.

En este índice, cada palabra está seguida por la Parte y la Lección en que aparece. El número de veces que aparece la palabra en cada lección está entre paréntesis.

In diesem Index steht nach jedem Wort der Teil mit der Lektion, in der das Wort vorkommt. In Klammern wird angegeben, wie oft ein Wort in einer Lektion auftritt.

In deze index staan achter ieder woord de Hoofdstukken en Lessen vermeld, waarin het woord voorkomt. Het aantal keren dat het woord in een les voorkomt, staat tussen haakjes.

この索引では、各単語の後にそれが出てくる
ユニット、レッスンが記されています。
又、ユニット、レッスンに出てくる各単語の
使用回数はカッコの中に記されています。

a	2-05 (2), 2-08 (4), 2-11 (2), 3-01 (8), 3-04 (2), 3-06 (1), 3-08 (1), 3-09 (2), 3-11 (1), 4-04 (1), 4-05 (1), 4-07 (4), 4-09 (1), 5-03 (2), 5-10 (3), 6-03 (5), 6-06 (2), 6-07 (5), 6-08 (4), 6-11 (1), 6-12 (4), 7-01 (1), 7-04 (1), 7-07 (2), 7-08 (32), 7-09 (2), 7-10 (1), 8-03 (4), 8-05 (4), 8-06 (2), 8-07 (2), 8-08 (2), 8-09 (3), 8-10 (74), 8-11 (2), 8-12 (14)		8-02 (3), 8-06 (6), 8-07 (1), 8-08 (2), 8-09 (3), 8-10 (7), 8-12 (2)
		alba	7-04 (1)
		albergo	8-09 (4), 8-10 (2)
		alberi	5-06 (2), 5-07 (1), 7-04 (11), 7-12 (3), 8-05 (1), 8-12 (1)
		albero	2-08 (2), 4-08 (1), 5-06 (2), 6-07 (4), 7-04 (4), 7-07 (2), 7-08 (2), 7-10 (1), 7-12 (2)
abbassata	4-09 (1)	alcune	3-02 (2), 5-09 (1), 6-06 (2), 6-09 (2), 6-10 (3), 7-05 (5), 7-08 (2), 7-09 (9), 8-05 (1)
abbiamo	5-11 (4), 7-11 (1), 7-12 (1), 8-11 (1)		
abbracceranno	5-03 (1)	alcuni	1-09 (3), 3-02 (1), 5-09 (2), 6-09 (2), 7-05 (10), 7-09 (1), 7-12 (1), 8-03 (3), 8-12 (2)
abbracciando	5-03 (1)		
abiti	5-08 (1), 7-02 (2)		
accanto	2-08 (7), 2-11 (2), 4-07 (4), 7-07 (1), 8-05 (1), 8-09 (16)	Algeria	8-04 (1)
		ali	5-03 (1), 7-02 (6)
accarezzando	8-06 (4)	all'	2-08 (3), 4-04 (3), 5-05 (1), 6-08 (1), 7-04 (2), 7-07 (1), 7-12 (1), 8-06 (3), 8-08 (9), 8-09 (12), 8-10 (3), 8-12 (2)
acqua	1-08 (2), 2-10 (6), 3-05 (1), 4-01 (1), 4-05 (2), 4-06 (1), 4-08 (4), 4-09 (2), 4-11 (1), 5-05 (2), 5-06 (1), 5-09 (2), 6-01 (2), 6-02 (2), 6-08 (2), 7-01 (3), 7-03 (2), 7-07 (2), 7-08 (4), 7-10 (1), 7-11 (4), 7-12 (5), 8-05 (1), 8-08 (3), 8-11 (2)		
		alla	2-08 (2), 3-04 (8), 4-04 (2), 5-05 (6), 5-12 (2), 6-06 (2), 7-01 (1), 7-09 (1), 7-12 (1), 8-06 (3), 8-09 (12), 8-10 (24), 8-11 (2), 8-12 (5)
		allacciando	5-10 (1), 5-12 (1)
adulta	2-02 (5)	alle	2-05 (1), 7-08 (5), 8-05 (1), 8-08 (1)
adulte	2-02 (1)	alta	3-01 (1), 8-07 (1)
adulti	2-02 (4), 5-02 (2), 7-09 (1)	alto	3-01 (4), 3-11 (2), 7-01 (2), 7-10 (1), 8-03 (2), 8-07 (3), 8-12 (1)
adulto	2-02 (4), 2-11 (1)		
aerei	7-02 (3), 7-12 (2), 8-08 (2)	altra	1-09 (1), 1-11 (1), 2-05 (1), 2-08 (1), 2-11 (1), 3-03 (2), 6-10 (2), 7-01 (1), 7-05 (2), 7-06 (1), 7-12 (1), 8-08 (7), 8-12 (4)
aereo	1-01 (9), 1-02 (1), 1-03 (2), 1-07 (2), 1-10 (1), 1-11 (2), 2-06 (5), 2-07 (1), 2-08 (2), 4-04 (2), 4-05 (2), 4-08 (6), 6-01 (2), 7-02 (2), 7-03 (2), 7-04 (1), 7-09 (4), 7-12 (8), 8-07 (4), 8-08 (3), 8-12 (4)		
		altre	6-10 (1)
		altri	6-07 (1), 6-10 (4), 7-05 (1), 7-12 (1), 8-03 (2)
aeroporto	8-09 (2)	altro	4-09 (1), 7-05 (1), 8-07 (3), 8-08 (6)
affatto	4-04 (1), 7-03 (1), 8-07 (1)	amica	6-10 (3), 6-12 (1)
Africa	8-04 (3)	amici	4-10 (4), 6-05 (1), 6-10 (1), 8-02 (1)
aggiustando	5-05 (1)	ammalato	3-07 (2), 3-08 (1), 5-11 (2)
agli	3-08 (1), 3-11 (1), 6-11 (1)	anatra	5-07 (1)
ahi	6-11 (1)	anatre	5-07 (3), 7-02 (1), 7-05 (5), 7-12 (2)
ai	2-05 (3), 6-07 (2), 7-01 (4), 7-07 (1), 8-03 (1)	anche	7-02 (1)
		andando	2-06 (2), 2-07 (1), 4-01 (1), 4-05 (3), 4-09 (1), 4-10 (4), 5-03 (1), 5-05 (1), 6-05 (1), 6-08 (2), 7-03 (3), 7-09 (4), 8-02 (1), 8-05 (6), 8-07 (1)
al	2-01 (1), 2-07 (2), 2-08 (3), 2-11 (1), 3-04 (1), 4-04 (7), 5-03 (1), 5-05 (3), 5-06 (1), 5-12 (2), 6-05 (3), 6-11 (2), 7-01 (1), 7-07 (10), 7-09 (7), 7-12 (4),		
		andata	5-03 (1)

andiamo	8-02 (1)	attraverso	7-10 (1)
andrà	5-03 (1)	attrezzi	6-09 (1)
angolo	4-09 (1), 8-09 (5)	attrezzo	2-03 (1)
animale	2-02 (12), 2-03 (2), 2-11 (2), 5-07 (2), 5-12 (1), 7-02 (4), 7-03 (4), 7-06 (4), 8-06 (13), 8-07 (4), 8-12 (4)	autobus	3-02 (1), 4-09 (2), 6-05 (2), 8-05 (2)
		automobile	1-01 (5), 1-03 (17), 1-05 (1), 1-07 (26), 1-10 (10), 1-11 (6), 2-03 (4), 2-07 (2), 2-08 (4), 3-08 (2), 4-01 (2), 4-06 (1), 4-09 (17), 4-11 (3), 5-02 (2), 6-02 (4), 6-06 (1), 6-11 (2), 6-12 (2), 7-03 (2), 7-04 (1), 8-05 (3), 8-08 (12), 8-12 (1)
animali	2-02 (2), 5-07 (9), 5-09 (2), 5-12 (1), 7-05 (4), 7-06 (8)		
anni	6-07 (4)		
antica	4-09 (1)		
anziana	1-03 (3), 3-01 (1)		
anziano	1-03 (1), 3-01 (1), 6-03 (1)	automobili	1-05 (1), 1-11 (1), 3-02 (1), 4-09 (2), 7-04 (1), 8-05 (2)
aperta	4-02 (6), 6-01 (2), 7-10 (1)		
aperte	4-02 (1)	autostrada	8-05 (2)
aperti	4-02 (4)	autunno	7-04 (4), 7-12 (1)
aperto	5-03 (2)	aveva	6-01 (5), 6-06 (1)
appartengono	8-06 (1)	avevano	6-01 (1)
appartiene	8-06 (13), 8-12 (4)	avevo	8-11 (1)
appena	6-07 (1)	avuto	4-09 (3)
appoggiata	7-09 (2)	bacerà	6-02 (1), 6-08 (1)
aprirà	5-03 (1)	baciando	4-05 (2), 4-06 (3), 6-02 (1), 6-05 (2), 6-08 (3), 8-02 (2)
aprire	7-01 (1)		
aquilone	5-10 (1), 7-01 (6), 8-08 (2)	baciata	6-08 (1)
aquiloni	7-01 (1)	baciato	6-08 (1)
arancia	1-08 (1), 7-06 (1), 7-08 (1), 7-12 (1)	baffi	6-03 (8)
arancione	1-06 (1), 3-05 (1)	bagagli	6-09 (1)
area	8-09 (11), 8-10 (10)	bagnando	8-07 (1)
Argentina	8-04 (1)	bagno	1-09 (2)
armi	7-02 (4), 7-09 (2)	balla	4-06 (1)
arrampica	4-06 (1), 5-03 (1)	ballando	1-02 (3), 1-05 (2), 1-10 (2), 2-07 (4), 4-06 (1), 4-08 (1)
arrampicando	3-06 (1), 4-10 (2), 7-10 (1)		
arrampicandosi	6-01 (1)	ballerine	3-01 (1)
arrampicherà	5-03 (1)	ballerini	3-01 (1)
arriva	8-10 (4)	bambina	1-01 (5), 1-02 (1), 1-03 (1), 1-05 (3), 1-06 (1), 1-08 (3), 1-09 (6), 1-10 (3), 1-11 (1), 2-01 (6), 2-02 (6), 2-05 (4), 2-06 (3), 2-07 (3), 2-09 (3), 2-10 (6), 2-11 (1), 3-02 (1), 3-04 (4), 4-04 (1), 4-06 (9), 4-07 (6), 5-02 (2), 5-03 (4), 5-05 (6), 5-09 (3), 5-10 (1), 5-12 (3), 6-03 (2), 6-06 (1), 6-07 (2), 6-08 (3), 6-10 (8), 7-01 (3), 7-03 (2), 7-05 (1), 7-06 (6), 8-04 (1), 8-06 (3), 8-07 (2)
ascolta	4-06 (1)		
ascoltando	5-08 (1)		
Asia	8-04 (4), 8-12 (1)		
asiatico	8-04 (2), 8-12 (2)		
asino	2-08 (2)		
assortimento	6-09 (3)		
asta	4-10 (4)		
astronauti	7-02 (1), 7-03 (1), 8-03 (2)		
attenzione	2-05 (4)		
attraversa	8-05 (4)	bambine	1-02 (5), 1-05 (2), 1-06 (1), 1-09 (3), 1-11 (5), 2-02 (1), 2-07 (5), 2-10 (4), 2-11 (4), 3-02 (3), 3-03 (1), 3-04 (3), 6-01 (2), 6-06 (1), 7-05 (2), 7-06 (1), 8-06 (2)
attraversando	6-02 (1), 7-03 (1), 8-05 (6)		
attraversano	8-05 (2), 8-12 (1)		
attraversare	7-10 (1)		
attraverserà	6-02 (1)		

bambini	1-05 (4), 1-06 (1), 1-07 (2), 1-10 (1), 2-02 (3), 2-05 (1), 2-06 (2), 2-07 (5), 2-08 (1), 2-10 (1), 3-02 (3), 3-04 (16), 4-01 (5), 4-06 (1), 4-08 (1), 5-02 (2), 5-03 (4), 5-08 (2), 5-09 (3), 5-10 (1), 6-01 (4), 7-06 (1), 7-09 (1), 7-10 (2), 8-07 (1), 8-11 (1)
bambino	1-01 (17), 1-02 (8), 1-05 (4), 1-07 (2), 1-08 (2), 1-09 (4), 1-10 (9), 1-11 (4), 2-01 (9), 2-02 (5), 2-06 (4), 2-07 (15), 2-08 (9), 2-10 (18), 2-11 (5), 3-02 (2), 3-03 (2), 3-04 (9), 3-07 (2), 3-11 (2), 4-01 (7), 4-02 (2), 4-04 (10), 4-05 (4), 4-06 (7), 4-07 (7), 4-08 (1), 4-10 (5), 4-11 (4), 5-02 (7), 5-03 (4), 5-05 (3), 5-10 (4), 5-12 (1), 6-01 (6), 6-02 (6), 6-03 (2), 6-05 (2), 6-06 (2), 6-07 (2), 6-08 (2), 7-01 (10), 7-06 (1), 7-07 (2), 7-10 (11), 7-12 (2), 8-06 (11), 8-07 (6), 8-08 (4), 8-11 (1), 8-12 (2)
bambole	6-09 (4)
banana	3-02 (2), 6-04 (1), 6-09 (1)
banane	1-08 (2), 1-10 (1), 1-11 (1), 2-08 (1), 3-02 (3), 5-07 (2), 6-04 (1), 6-09 (3)
banca	3-08 (2), 6-11 (2), 8-09 (15), 8-10 (2)
bandiere	6-09 (2)
barba	6-03 (14)
barca	1-01 (1), 1-10 (1), 2-08 (2), 4-09 (1), 4-11 (1), 7-01 (1), 7-10 (2), 7-12 (1)
barche	4-09 (1)
barcone	4-09 (1)
bassa	3-01 (3), 3-11 (2)
basso	3-01 (2), 5-08 (1), 7-01 (2), 7-10 (1), 8-03 (2), 8-07 (3), 8-12 (3)
bastone	2-08 (2)
batte	5-03 (1), 7-02 (1)
bello	3-07 (1)
berrà	2-10 (1)
berretto	3-05 (1), 4-10 (2), 4-11 (2)
berrò	7-11 (2)
bevanda	5-06 (2)
beve	2-01 (1), 4-06 (2), 4-11 (1)
bevendo	1-08 (11), 1-10 (5), 2-06 (2), 2-10 (1), 4-01 (1), 4-04 (2), 4-11 (3), 5-05 (2), 5-11 (2), 6-06 (2), 7-01 (1), 7-06 (10), 7-11 (3), 7-12 (4), 8-11 (2)
bevono	7-06 (1)
bevuto	2-10 (1), 7-11 (2)

bianca	1-03 (3), 1-05 (1), 1-07 (6), 1-09 (5), 1-10 (2), 1-11 (1), 2-01 (1), 2-03 (1), 3-06 (3), 4-09 (2), 5-02 (1), 6-03 (1), 7-05 (4), 7-12 (1)
bianche	1-05 (1), 1-09 (1), 1-10 (1), 1-11 (3), 3-04 (2)
bianchi	1-03 (1), 1-09 (3), 3-05 (1), 3-11 (1), 5-02 (1), 7-04 (2), 7-05 (5), 7-08 (2), 8-03 (2), 8-12 (2)
bianco	1-03 (2), 1-07 (7), 1-09 (4), 1-11 (2), 2-01 (1), 2-04 (2), 2-06 (8), 3-03 (3), 3-05 (5), 3-06 (2), 4-08 (5), 5-02 (1), 5-03 (2), 5-06 (1), 6-05 (2), 7-01 (1), 7-04 (3), 7-07 (2), 8-08 (2)
biblioteca	8-09 (1), 8-10 (4)
bicchiere	2-05 (1), 2-09 (2), 5-05 (4), 5-09 (6), 5-12 (4), 7-01 (1), 7-08 (20)
bicchieri	5-09 (1)
bicicletta	1-05 (2), 1-10 (1), 2-01 (2), 2-06 (3), 2-07 (6), 2-08 (7), 4-01 (3), 4-06 (1), 4-09 (2), 4-10 (6), 5-03 (1), 5-05 (3), 5-09 (2), 6-05 (2), 6-08 (2), 7-03 (2), 7-09 (4), 8-02 (2), 8-05 (6)
biciclette	1-05 (2), 5-09 (2), 7-02 (1)
biforcazione	8-10 (2)
biglia	3-02 (1)
biglie	3-02 (5)
bionda	5-02 (1)
biondi	3-01 (3), 6-03 (1)
blu	1-03 (4), 1-06 (3), 1-07 (5), 1-09 (5), 1-10 (9), 1-11 (2), 2-03 (1), 2-04 (7), 2-11 (2), 3-03 (7), 3-05 (3), 4-04 (1), 4-08 (2), 5-06 (1), 5-11 (1), 6-01 (2), 6-11 (1), 7-01 (2), 7-02 (2), 7-05 (5), 7-07 (3), 7-12 (1), 8-03 (5), 8-06 (4), 8-08 (2)
blue	1-09 (3)
blusotto	5-03 (2)
bocca	2-09 (7), 2-11 (1), 3-09 (1), 4-02 (7), 5-03 (2), 5-10 (1), 6-01 (4), 7-01 (1), 7-10 (4)
borsa	4-06 (2), 4-11 (2)
bottiglia	6-04 (5)
braccia	2-09 (3), 3-09 (6), 4-02 (3), 5-10 (1), 8-11 (1)
braccio	3-09 (2), 6-08 (1), 6-12 (1)
Brasile	8-04 (1)
bruciando	5-06 (2)

bruna	5-02 (1)		7-01 (1), 7-02 (2), 7-06 (2), 7-10 (6),
brutto	3-07 (1)		8-06 (9), 8-07 (9), 8-12 (2)
buco	8-05 (2)	canguri	2-05 (1)
cadendo	1-02 (5), 2-10 (4), 4-01 (8), 6-02 (1),	canguro	3-06 (1)
	6-08 (1), 7-10 (1), 7-11 (3)	cani	1-05 (1), 4-01 (1), 5-02 (2), 5-07 (3),
cadrà	2-10 (1), 5-03 (1)		7-02 (2)
cadrò	7-11 (2)	canta	4-06 (1), 4-11 (1)
caduta	2-10 (1), 7-11 (2)	cantando	1-05 (2), 4-10 (4), 6-05 (11), 6-10
caduto	2-10 (2), 6-01 (1), 6-02 (1), 6-08 (1),		(4), 6-12 (8), 7-02 (2), 8-02 (10),
	7-10 (1)		8-12 (2)
calando	7-04 (1)	cantano	7-02 (1)
calante	7-09 (1), 7-12 (1)	cantante	2-05 (2), 6-10 (2), 6-12 (2)
calcia	2-01 (4)	cantanti	6-07 (3)
calciando	4-08 (4), 6-08 (3), 7-08 (2)	cantare	5-10 (1)
calciata	6-08 (1)	cantiamo	8-02 (2)
calda	5-06 (1)	capelli	1-03 (8), 1-10 (4), 1-11 (4), 2-04 (2),
caldo	3-07 (5), 3-08 (1), 3-11 (1), 5-06		2-06 (2), 2-09 (4), 3-01 (20), 4-06 (3),
	(11), 5-11 (3), 6-11 (1), 7-04 (1)		4-11 (1), 5-11 (2), 6-03 (8), 8-07 (1)
calvo	3-01 (1), 5-11 (1), 6-03 (3)	capovolta	4-01 (2)
calzature	8-09 (1), 8-10 (2)	cappelli	1-09 (5), 1-11 (1), 3-02 (2), 5-06 (1),
calzini	1-09 (2), 3-03 (1), 5-02 (1)		5-09 (2), 6-05 (1), 7-05 (2), 7-07 (2),
calzino	3-03 (2)		8-02 (2)
camera	6-09 (1)	cappello	1-08 (1), 1-09 (8), 2-03 (3), 2-05 (4),
cameriere	3-08 (1), 6-11 (1)		2-06 (16), 2-08 (1), 2-10 (1), 3-02
camicia	1-09 (5), 1-10 (3), 1-11 (1), 3-03 (3),		(1), 3-09 (4), 4-06 (3), 4-08 (3), 4-10
	5-02 (7), 5-08 (1), 6-03 (1), 6-06 (4),		(6), 4-11 (2), 5-02 (3), 5-03 (2), 5-05
	7-01 (1), 8-06 (6), 8-11 (5), 8-12 (4)		(2), 5-11 (1), 6-01 (4), 6-05 (1), 6-06
camicie	1-09 (2), 1-10 (1), 1-11 (2), 3-04 (2)		(2), 6-11 (1), 7-09 (2), 7-10 (1), 7-11
camion	2-03 (1), 4-06 (1), 4-09 (8), 4-11 (3),		(1), 8-06 (4), 8-11 (2)
	6-01 (2), 6-12 (2)	cappotta	4-09 (1)
camioncino	2-08 (1)	cappotto	1-09 (2), 3-03 (1)
cammelli	7-02 (1)	capre	3-06 (1)
cammello	3-06 (2), 5-03 (2)	caramella	2-08 (1)
cammina	4-06 (1), 6-10 (1)	caramelle	2-08 (1), 5-09 (2), 7-08 (6)
camminando	1-02 (4), 1-05 (2), 1-11 (4), 2-06 (3),	Carlo	6-07 (3)
	2-07 (4), 3-06 (3), 4-01 (5), 4-10 (4),	carne	1-08 (1), 5-07 (1)
	5-03 (2), 5-09 (1), 6-05 (4), 6-10 (1),	carota	1-08 (1), 1-10 (2)
	7-03 (1), 7-08 (5), 8-02 (4), 8-05 (1),	carrello	5-05 (5)
	8-08 (2), 8-12 (2)	carretto	5-05 (1)
camminano	2-01 (1), 4-06 (1), 5-03 (1)	carrozza	4-05 (2), 4-06 (2), 6-02 (2)
Canada	8-04 (1)	carta	2-05 (2), 2-09 (2), 2-10 (5), 6-04
candela	5-06 (2)		(11), 6-12 (3), 7-01 (1), 7-11 (4)
candele	5-09 (1), 6-09 (2)	casa	1-03 (4), 1-07 (2), 1-10 (1), 3-04 (2),
cane	1-01 (5), 1-02 (1), 1-05 (1), 2-02 (4),		4-09 (1), 7-04 (1), 8-05 (1), 8-07 (1),
	2-07 (1), 2-08 (2), 2-11 (3), 3-05 (2),		8-12 (1)
	3-06 (1), 3-07 (2), 4-01 (6), 4-06 (1),	casco	4-10 (2)
	5-02 (10), 5-03 (4), 5-05 (2), 5-07	case	8-08 (2)
	(1), 6-01 (2), 6-06 (6), 6-12 (2),	casse	1-08 (1), 1-11 (1)

cassette	6-04 (2)		8-07 (1), 8-08 (4), 8-10 (4), 8-11 (3),
cassetto	5-03 (1)		8-12 (8)
cassettone	5-08 (1)	chi	1-10 (12), 3-01 (8), 3-04 (4), 7-02
castani	3-01 (1)		(4), 8-07 (8)
castello	6-10 (2), 8-08 (1)	chiama	6-07 (2), 7-04 (2), 8-04 (3)
cavalca	1-06 (1), 2-01 (1), 6-05 (1)	chiamo	6-07 (4)
cavalcando	2-06 (3), 4-01 (4), 4-06 (1), 4-08 (2),	chiara	6-03 (8)
	4-11 (2), 6-05 (1), 6-08 (2), 7-03 (1),	chiaro	8-07 (1)
	7-06 (2), 8-02 (1)	chiavi	6-06 (1)
cavalcano	1-06 (1)	chicco	6-09 (1)
cavalcare	7-10 (2), 8-07 (1)	chiesa	3-04 (2), 6-10 (1), 8-09 (2), 8-10
cavalco	8-02 (1)		(14), 8-12 (2)
cavallerizza	2-10 (3)	chitarra	2-05 (2), 4-01 (1), 4-11 (1), 5-05 (5),
cavalli	1-05 (1), 1-11 (1), 3-02 (6), 3-11 (2),		5-08 (2), 5-12 (2), 6-06 (4), 8-11 (4)
	4-02 (2), 4-05 (1), 5-07 (1), 7-01 (5),	chitarre	5-08 (2)
	7-02 (1), 7-05 (2), 7-06 (1), 7-12 (1)	chiuderà	6-02 (1), 6-12 (1)
cavallo	1-01 (5), 1-02 (2), 1-05 (1), 1-08 (1),	chiusa	4-02 (5), 7-10 (1), 8-10 (4)
	1-10 (7), 1-11 (1), 2-02 (1), 2-03 (3),	chiuse	4-02 (1)
	2-08 (2), 2-09 (1), 2-10 (5), 3-02 (2),	chiusi	4-02 (4)
	3-05 (10), 3-06 (5), 3-09 (3), 4-05	chiuso	6-02 (1), 6-12 (1)
	(2), 4-06 (5), 5-02 (4), 5-03 (5),	ci	1-06 (2), 3-02 (20), 3-09 (4), 3-11
	6-08 (5), 7-02 (2), 7-03 (5), 7-05 (1),		(4), 5-09 (18), 7-01 (1), 7-07 (1),
	7-06 (3), 7-12 (2), 8-05 (2), 8-07 (1),		7-08 (2), 7-09 (2), 8-02 (1), 8-08 (2)
	8-08 (2)	cibo	1-08 (8), 1-10 (2), 1-11 (2), 2-09 (2),
ce	3-09 (4)		5-05 (2), 5-06 (2), 5-07 (9), 5-09 (2),
c'è	1-07 (4), 3-02 (4), 3-09 (4), 4-08 (3),		5-12 (1), 6-08 (1)
	5-09 (9), 5-12 (4), 7-04 (7), 7-07 (2),	ciclista	6-09 (1), 7-03 (1)
	7-09 (1), 8-05 (2), 8-10 (28), 8-12 (5)	ciclisti	6-09 (1), 7-03 (2), 7-12 (2)
cenno	5-10 (7)	ciclistica	6-01 (4), 6-06 (2), 8-11 (2)
cento	4-03 (2), 4-11 (1)	cielo	7-09 (2)
centocinquantaquattro		cigno	3-06 (2), 7-02 (1)
	5-04 (1)	Cile	8-04 (1)
centoquarantacinque		Cina	8-04 (3), 8-12 (1)
	5-04 (1)	cinema	8-09 (3)
cercando	4-06 (1), 7-01 (3), 7-09 (1), 7-10 (4)	cinquanta	4-03 (1)
cerchi	7-07 (4), 8-03 (15)	cinquantadue	4-03 (1)
cerchio	2-04 (22), 2-11 (6), 7-07 (11), 8-03 (5)	cinquantanove	5-04 (1)
cerimonia	5-08 (1)	cinque	1-04 (19), 1-06 (3), 1-11 (2), 2-08
cervi	2-05 (1)		(1), 3-05 (2), 3-09 (1), 3-10 (7), 4-02
cespugli	5-07 (1), 6-10 (2)		(1), 4-03 (1), 5-01 (12), 5-09 (2),
cesti	6-04 (1)		5-12 (2), 8-01 (3)
cesto	1-08 (2), 1-11 (2), 2-08 (1)	cinquecentocinquantanove	
che	1-10 (10), 1-11 (4), 2-02 (8), 2-11		5-04 (1)
	(4), 3-02 (11), 3-04 (2), 3-05 (4),	cinquecentoquarantanove	
	3-11 (3), 4-01 (12), 4-11 (4), 5-09		5-04 (1)
	(12), 5-11 (4), 5-12 (4), 6-01 (4),	circa	3-10 (4)
	6-05 (2), 6-06 (6), 6-07 (1), 6-09 (1),	circonda	6-10 (1)
	7-03 (2), 7-09 (1), 8-02 (4), 8-05 (4),	circondano	6-10 (3)

circondata	6-10 (6)
circondato	6-10 (2)
città	7-04 (1), 8-05 (1)
cocomero	6-04 (1)
collina	6-10 (1)
collo	5-10 (1), 5-12 (1)
colorata	8-04 (4), 8-12 (1)
colorati	8-04 (1)
colorato	8-04 (16), 8-12 (3)
colore	1-10 (2), 3-05 (4), 8-07 (2)
colpito	7-01 (2)
coltelli	6-09 (1)
combattono	8-07 (1)
come	5-09 (1)
compagnia	8-06 (7), 8-12 (4)
con	1-08 (2), 2-03 (3), 2-04 (2), 2-05 (4), 2-08 (2), 2-11 (4), 3-02 (2), 3-03 (2), 3-11 (2), 4-01 (3), 4-04 (1), 4-05 (4), 4-07 (5), 4-09 (1), 4-10 (19), 4-11 (4), 5-02 (4), 5-03 (2), 5-05 (1), 5-08 (2), 5-10 (8), 5-11 (1), 6-03 (6), 6-05 (1), 6-07 (2), 6-10 (10), 6-11 (1), 6-12 (3), 7-01 (2), 7-02 (2), 7-08 (8), 8-05 (1)
conducendo	4-06 (1)
coniglio	3-09 (1)
contadino	8-06 (1), 8-12 (1)
contare	5-09 (15)
continente	8-04 (7)
contro	6-10 (2)
coperta	7-09 (1), 7-12 (1)
coperti	7-04 (1)
coppia	4-05 (7), 6-03 (2), 6-09 (3), 6-10 (1), 6-12 (3)
coppie	6-09 (1)
copre	5-06 (2)
coprono	3-09 (1)
corda	3-04 (9), 4-10 (2), 6-01 (2), 6-06 (2), 7-10 (5), 7-12 (3), 8-11 (3)
Corea	8-04 (1), 8-12 (1)
coricata	2-01 (1), 2-07 (1), 3-06 (1), 7-09 (1)
coricate	7-09 (1)
coricato	2-07 (1), 3-04 (2), 3-11 (2), 4-01 (1), 4-04 (1), 4-08 (1)
coro	6-10 (1), 6-12 (1)
corre	2-01 (4), 8-05 (1)
correndo	1-02 (11), 1-05 (2), 1-07 (8), 1-10 (4), 1-11 (1), 2-06 (2), 2-07 (1),

	3-04 (7), 3-06 (1), 4-01 (1), 4-08 (1), 4-10 (2), 5-11 (2), 6-05 (2), 6-08 (1), 6-10 (1), 7-03 (4), 8-02 (1), 8-05 (1), 8-07 (2), 8-11 (2)
correranno	6-08 (2)
correremo	8-11 (1)
corriamo	8-02 (1)
corridore	6-09 (1), 7-03 (1)
corridori	3-01 (2), 5-10 (1), 6-09 (1), 8-08 (2)
corsa	5-10 (3), 6-01 (4), 6-06 (2), 8-11 (2)
corso	6-08 (1), 8-11 (1)
corti	1-03 (2), 1-11 (2), 2-04 (1), 3-01 (5), 3-03 (2), 6-03 (3)
corto	2-04 (3), 8-07 (1)
cosa	1-10 (6), 1-11 (2)
costumi	1-09 (2)
cravatta	5-08 (1), 6-03 (1)
cucciolo	6-10 (1)
cucinando	3-08 (2)
cuocendo	3-08 (1), 3-11 (1), 6-11 (1)
cuoco	3-08 (1), 6-11 (1)
cura	3-08 (2)
da	1-09 (2), 3-02 (1), 4-10 (2), 5-02 (4), 5-03 (2), 5-08 (3), 5-09 (11), 5-12 (2), 6-04 (2), 6-09 (1), 6-10 (16), 6-12 (2), 7-01 (3), 7-02 (5), 7-08 (4), 8-06 (9), 8-07 (1), 8-08 (1), 8-12 (4)
dadi	6-04 (1), 6-09 (2)
dal	2-07 (1), 4-05 (2), 5-03 (2), 5-10 (2), 6-01 (1), 6-07 (2), 6-08 (3), 8-09 (11)
dall'	4-05 (3), 5-05 (2), 6-02 (1), 7-01 (3), 7-12 (3), 8-08 (8), 8-09 (1), 8-12 (2)
dalla	4-05 (1), 5-03 (1), 5-05 (2), 5-12 (1), 6-11 (1), 8-08 (1), 8-09 (8)
dando	5-05 (9), 5-12 (4), 7-01 (1)
darà	7-01 (2)
dato	5-05 (1), 7-01 (1)
davanti	2-07 (2), 2-08 (2), 4-09 (1), 6-07 (1), 7-04 (3), 7-07 (7), 7-08 (5), 7-09 (2), 7-12 (4), 8-03 (1)
debole	3-07 (1), 3-11 (1), 5-11 (1)
decappottabile	4-09 (1)
degli	8-06 (1)
dei	4-06 (2), 4-08 (2), 5-10 (2), 6-05 (1), 7-05 (3), 7-07 (6), 8-02 (1), 8-03 (5), 8-12 (3)
del	2-04 (16), 2-05 (1), 2-08 (1), 2-09 (4), 2-11 (4), 3-10 (1), 4-02 (3),

68

formaggio	1-08 (1), 1-10 (1)	giacca	3-03 (1), 5-08 (1), 8-06 (2)
forme	8-03 (4)	gialla	1-03 (4), 1-07 (5), 1-10 (1), 2-01 (1),
fornaio	3-08 (1), 3-11 (1)		2-05 (2), 3-03 (1), 4-01 (4), 4-04 (1),
forse	4-01 (1)		7-05 (1), 8-08 (4)
forte	3-07 (1), 3-11 (1), 5-11 (1), 6-10 (1),	gialle	1-08 (2), 2-05 (2)
	8-08 (1)	gialli	3-05 (2), 3-11 (1), 4-09 (1), 7-04 (2),
fotografia	4-08 (1), 5-09 (4), 5-12 (2), 7-10 (1),		7-05 (10), 7-07 (3), 7-12 (3), 8-03 (8)
	8-08 (2)	giallo	1-03 (1), 1-06 (3), 1-07 (1), 1-08 (1),
fotografica	7-10 (2)		1-09 (1), 2-04 (9), 3-03 (1), 3-05 (5),
fragole	1-08 (2), 1-10 (1), 1-11 (1)		3-11 (1), 4-08 (4), 4-09 (1), 5-06 (1)
fratelli	4-07 (3)	Giappone	8-04 (1)
fratello	4-07 (4), 4-11 (3)	ginocchia	2-09 (2), 3-09 (1)
fredda	5-06 (2)	gioca	5-06 (2), 6-10 (2)
freddo	3-07 (3), 3-08 (1), 5-06 (8), 5-11 (4),	giocando	3-04 (3), 4-01 (4), 4-04 (1), 4-10 (8),
	6-11 (1), 7-04 (3), 8-07 (1)		5-05 (1)
frisbee	5-03 (2), 6-01 (2), 6-06 (2), 7-10 (3)	giornale	6-08 (1), 6-12 (1), 8-11 (1)
fritte	6-04 (1)	giorno	5-06 (2), 7-04 (4)
fronte	5-10 (1)	giovane	1-03 (3), 2-09 (3), 3-01 (10), 6-03
frutta	1-08 (1), 5-07 (7)		(4), 6-06 (6), 7-09 (2), 8-07 (5)
fucili	4-06 (2)	giovani	3-01 (1), 6-05 (3), 7-02 (2)
fumo	5-06 (2)	giraffa	3-06 (1)
funerale	5-10 (1)	girando	3-04 (1), 4-09 (1)
fuoco	5-06 (8), 7-02 (4), 8-08 (2)	girare	2-05 (2)
fuori	3-04 (5), 3-11 (1), 5-03 (1), 5-10 (1),	giri	8-10 (44), 8-12 (4)
	5-12 (1), 6-01 (1), 6-11 (1)	giù	8-09 (1)
furgone	4-05 (4), 4-09 (2)	gli	1-05 (4), 1-09 (4), 2-01 (3), 2-07 (6),
gambe	3-09 (1), 4-02 (3), 4-06 (1), 5-02 (2),		2-11 (3), 3-01 (4), 3-03 (2), 3-04 (1),
	5-12 (2), 7-02 (1)		3-08 (1), 3-11 (7), 4-02 (7), 4-10 (2),
gareggiando	6-10 (4)		5-05 (1), 5-06 (2), 5-07 (1), 5-08 (1),
gatti	3-09 (1), 5-07 (1)		6-03 (2), 6-05 (8), 6-08 (3), 7-02
gatto	1-01 (2), 1-03 (1), 1-07 (1), 2-02 (1),		(12), 7-03 (2), 7-04 (8), 7-05 (4),
	2-11 (1), 3-04 (2), 3-05 (2), 3-06 (3),		7-12 (5), 8-01 (3), 8-02 (2), 8-03 (2),
	3-11 (2), 4-01 (1), 4-05 (4), 4-08 (2),		8-04 (1), 8-05 (3), 8-06 (1), 8-08 (2),
	4-11 (2), 5-02 (2), 6-08 (3), 6-12 (3),		8-12 (1)
	8-06 (1), 8-11 (3)	gomiti	2-09 (1)
gelato	5-07 (1)	gomito	2-09 (1)
gemelli	6-09 (1), 6-12 (1)	gonna	1-09 (1), 3-03 (2), 6-11 (1)
genitori	4-07 (5), 4-11 (2)	gonne	1-09 (1), 1-11 (1), 8-06 (2)
gente	2-08 (2), 3-07 (2), 4-05 (4), 4-09 (1),	Gorbaciov	4-04 (1), 6-07 (2)
	4-10 (2), 5-06 (4), 5-08 (4), 6-01 (4),	grande	2-03 (25), 2-04 (13), 2-08 (1), 2-11
	6-02 (10), 6-03 (2), 6-06 (2), 6-10		(2), 4-09 (3), 5-02 (1), 8-06 (1)
	(7), 6-12 (2), 7-02 (1), 7-04 (1), 7-10	grandi	8-03 (6), 8-12 (4)
	(1), 7-12 (2), 8-05 (7)	grappoli	6-09 (1)
Germana	6-07 (12)	grappolo	6-09 (2)
Germania	8-04 (1)	grasse	3-01 (1)
getta	2-01 (6)	grasso	3-01 (2), 3-08 (1)
gettato	5-03 (1)	grattando	5-10 (3), 5-12 (2)
ghiaccio	5-06 (2)	gregge	3-06 (1)

	5-10 (1), 5-11 (1), 5-12 (1), 6-11 (2), 7-10 (1)	maglietta	1-09 (5), 1-10 (2), 1-11 (1), 3-03 (4), 3-05 (1), 3-09 (4), 4-04 (1), 4-10 (2), 5-10 (1), 6-05 (1), 6-08 (1)
lentamente	7-03 (9), 7-12 (2)	maglione	3-03 (11), 3-11 (2), 4-01 (1), 4-10 (5), 4-11 (1), 6-03 (1), 8-06 (2)
leone	3-06 (1), 7-09 (2)		
leopardo	8-07 (1)	maiali	3-06 (1)
letto	5-08 (2)	malata	6-11 (1)
libri	6-10 (2)	malato	6-11 (5)
libro	4-04 (1), 4-06 (3), 6-06 (2), 6-08 (2), 6-12 (2), 7-01 (1), 8-11 (2)	male	6-11 (2)
limousine	4-09 (2)	mandria	3-06 (1)
lingua	5-10 (1)	mandriani	3-02 (1), 8-08 (2)
lisci	3-01 (5)	mandriano	2-10 (2), 3-02 (4), 4-08 (1), 5-03 (1), 5-08 (1), 7-01 (1), 7-10 (8), 7-12 (4)
lo	1-07 (6), 1-11 (1), 2-08 (2), 3-02 (2), 4-01 (1), 4-06 (1), 5-03 (2), 5-12 (2), 6-05 (1), 6-08 (1), 6-12 (1), 7-03 (4), 8-03 (4), 8-11 (1)	mangerà	2-10 (2), 5-03 (1)
		mangerò	7-11 (2)
		mangiando	1-07 (8), 1-08 (6), 1-10 (8), 2-10 (1), 3-05 (2), 6-05 (3), 6-06 (2), 7-11 (1), 8-02 (3)
lontana	8-08 (4)		
lontane	8-08 (1)	mangiato	2-10 (1), 7-11 (1)
lontani	8-08 (3)	mani	2-09 (7), 3-09 (2), 4-02 (8), 4-10 (4), 4-11 (4), 5-10 (1), 6-01 (2), 7-02 (1)
lontano	6-10 (2), 8-08 (9), 8-12 (2)		
loro	1-07 (4), 3-04 (2), 3-07 (8), 3-11 (2), 4-07 (10), 4-08 (2), 4-11 (4), 5-02 (1), 5-05 (4), 6-05 (1), 6-07 (2), 7-10 (3), 7-11 (3)	manichini	4-04 (1), 8-03 (1)
		mano	2-05 (26), 2-08 (1), 2-09 (3), 2-11 (4), 3-09 (2), 4-02 (2), 4-08 (2), 5-02 (2), 5-05 (1), 5-09 (4), 5-10 (7), 6-07 (1), 7-01 (1), 7-08 (14)
lui	1-07 (4), 2-02 (2), 2-06 (2), 2-09 (2), 2-11 (2), 3-03 (11), 3-04 (1), 3-07 (11), 3-08 (7), 3-11 (2), 4-01 (5), 4-07 (1), 4-10 (13), 5-05 (3), 5-06 (2), 5-11 (2), 5-12 (2), 6-11 (2), 7-08 (4), 7-10 (4), 7-11 (3), 7-12 (3), 8-05 (3), 8-07 (2)		
		mappa	8-04 (20), 8-12 (4)
		marcia	2-05 (1)
		marciano	4-06 (1)
		marciapiede	6-05 (4), 6-10 (1), 8-02 (2), 8-05 (10)
Luigi	6-07 (8)	Marco	6-07 (4)
luna	7-04 (1)	marinai	7-02 (1)
lunghi	1-03 (2), 1-10 (2), 1-11 (2), 2-04 (1), 3-01 (7), 6-03 (3), 8-07 (1)	marito	4-07 (5), 4-11 (1)
		marrone	1-09 (1), 3-05 (3)
lungo	2-04 (3)	mattino	3-10 (2)
ma	2-06 (1), 2-07 (1), 5-03 (2), 5-12 (1), 6-03 (2), 6-06 (3), 6-10 (2), 7-02 (6), 7-03 (1), 7-05 (5), 7-06 (3), 7-07 (2), 7-08 (8), 7-09 (8), 7-12 (2), 8-03 (6), 8-06 (1), 8-07 (5), 8-11 (1), 8-12 (1)	mazzi	6-04 (1), 6-09 (1)
		mazzo	6-04 (1), 6-09 (1)
		meccanico	3-08 (2), 6-11 (1)
		medaglie	5-10 (1)
		media	2-08 (1)
macchiato	8-07 (4)	medicina	5-05 (2), 5-12 (1)
macchie	8-07 (5)	mela	3-02 (1)
macchina	3-08 (1), 3-11 (1), 6-11 (1), 7-10 (2), 8-05 (1)	mele	1-08 (4), 1-11 (1), 3-02 (1), 5-07 (2), 5-09 (4), 6-04 (3), 7-05 (1)
		meno	3-02 (4), 3-10 (3), 5-01 (10), 5-09 (6), 5-12 (2), 8-07 (1)
madre	4-07 (8), 4-11 (1), 6-10 (1), 8-06 (1)		
maggior	7-05 (4), 7-07 (8), 7-09 (9), 8-03 (4), 8-12 (2)	mento	2-09 (1), 2-11 (1)

mentre	4-06 (19), 4-11 (4), 5-08 (1), 6-10 (1), 6-12 (1)	mucche	2-05 (1), 3-06 (5), 5-07 (1), 7-06 (1), 7-09 (2), 8-08 (2)
messa	6-08 (1), 8-11 (1)	muove	7-03 (7), 7-12 (2)
Messico	8-04 (1)	muovono	7-03 (2), 7-12 (2)
messo	6-02 (1)	muro	2-07 (4), 4-05 (1), 5-03 (2), 6-01 (4), 6-07 (4), 7-09 (2)
metropolitana	8-09 (4), 8-10 (8)		
mettendo	3-03 (6), 3-11 (2), 4-01 (1), 4-06 (1), 4-09 (1), 4-11 (1), 6-08 (2), 7-03 (1), 8-11 (2)	musicali	5-08 (4)
		Nancy	6-07 (3)
		naso	2-09 (4), 2-11 (1), 5-10 (2), 5-12 (1), 8-07 (1)
metterà	6-02 (1), 6-08 (1)		
metterò	8-11 (1)	nave	2-03 (2), 2-11 (2), 4-09 (2), 7-02 (1), 8-08 (1)
mezza	3-10 (13), 3-11 (1), 6-04 (1)		
mezzo	7-08 (1)	navi	7-02 (1)
mi	6-07 (4), 6-11 (2), 8-02 (2), 8-11 (4)	navigando	4-09 (1)
mia	6-11 (1), 8-11 (3), 8-12 (1)	ne	3-09 (4), 7-02 (3)
microfono	2-05 (2), 4-10 (4), 6-10 (1), 6-12 (1)	nè	2-05 (3), 6-03 (6), 6-05 (16), 8-02 (10), 8-05 (4), 8-12 (4)
mie	8-11 (1)	negozio	8-09 (1), 8-10 (2)
miei	8-02 (1), 8-11 (2)	nel	2-08 (2), 4-04 (1), 4-05 (4), 4-06 (1), 5-09 (6), 5-12 (4), 6-01 (4), 6-02 (2), 6-10 (1), 6-12 (2), 7-08 (1), 7-09 (2), 8-05 (1)
Mikhail	6-07 (3)		
milleottantasette	5-04 (1)		
milleottocentocinquantasette			
	5-04 (1)	nell'	2-06 (3), 2-07 (3), 2-10 (6), 4-05 (2), 4-06 (1), 4-08 (9), 4-09 (2), 4-10 (2), 5-06 (1), 6-01 (4), 6-02 (3), 6-12 (2), 7-01 (1), 7-03 (2), 7-11 (4), 8-05 (1), 8-08 (1)
milleottocentosettantacinque			
	5-04 (1)		
millesettantotto	5-04 (1)		
minor	8-07 (1)		
mio	6-07 (2), 6-11 (1), 8-02 (2), 8-11 (1), 8-12 (1)	nella	2-05 (22), 2-08 (1), 3-09 (2), 4-05 (1), 4-06 (2), 4-07 (3), 4-08 (2), 4-09 (1), 4-10 (2), 5-06 (1), 5-09 (4), 7-04 (1), 7-08 (2), 7-12 (1), 8-05 (8), 8-09 (11), 8-12 (1)
misurino	6-01 (2)		
mobile	4-05 (4), 5-08 (9), 6-09 (1)		
mobili	5-08 (5), 6-09 (1)		
moglie	4-07 (5), 4-11 (1), 6-08 (2)	nelle	2-09 (1), 6-01 (2)
molte	3-02 (5), 3-06 (1), 4-02 (1), 5-09 (2), 6-04 (2), 6-09 (4), 7-08 (2), 7-09 (4)	neonati	1-05 (1)
		neonato	1-05 (1)
molti	3-02 (7), 5-07 (2), 5-09 (2), 5-12 (2), 6-04 (1), 6-09 (3), 7-04 (1), 7-08 (2), 7-09 (1)	nera	1-03 (1), 1-07 (3), 1-09 (1), 1-11 (1), 2-03 (1), 3-03 (1), 4-09 (1), 6-03 (1), 6-05 (1), 7-05 (1)
molto	1-03 (1), 1-11 (1), 3-01 (1), 5-09 (1), 5-10 (4), 6-04 (1), 7-03 (2), 8-07 (1)	nere	1-09 (1), 1-11 (1), 7-05 (1), 7-12 (1), 8-06 (2)
monete	3-02 (2), 5-09 (1)	neri	1-03 (1), 1-09 (2), 1-11 (1), 3-01 (6), 3-03 (2), 5-11 (1), 6-03 (1), 8-03 (7), 8-06 (1), 8-12 (2)
montagna	4-09 (1), 7-04 (6), 7-09 (1), 7-10 (2), 7-12 (1), 8-05 (1), 8-12 (1)		
montagne	5-06 (1)	nero	1-03 (1), 1-07 (1), 1-09 (4), 2-04 (1), 2-06 (8), 3-05 (4), 3-06 (1), 4-09 (1), 5-02 (1), 5-06 (1), 7-03 (1), 7-04 (2), 8-03 (7), 8-06 (3)
moschea	8-09 (1), 8-10 (2)		
motocicletta	1-06 (1), 4-09 (1)		
motociclette	4-09 (1)		
mucca	7-01 (2), 7-06 (1), 8-06 (1), 8-12 (1)	nessun	3-02 (3), 3-09 (1)

nessuna	2-05 (1), 2-11 (1), 3-02 (4), 6-05 (3), 6-12 (1), 7-05 (3), 7-06 (5), 7-09 (1), 7-12 (1)	ombrelli	3-02 (4), 3-11 (2), 4-10 (2), 6-05 (1), 8-02 (2), 8-06 (1)
nessuno	4-06 (1), 4-08 (10), 4-11 (1), 6-05 (2), 6-08 (6), 7-02 (1), 7-05 (2), 7-06 (4), 7-09 (2), 7-12 (1), 8-02 (7), 8-06 (1), 8-12 (1)	ombrello	2-03 (2), 3-02 (1), 6-05 (1), 8-02 (1), 8-06 (1)
		operaio	7-02 (2), 7-10 (1)
		opposto	8-09 (11)
neve	4-09 (1), 5-06 (5), 7-04 (8), 7-09 (1), 7-12 (2)	ora	4-04 (1), 4-11 (1), 6-01 (1), 6-06 (2), 7-02 (3), 7-03 (1), 8-11 (1)
niente	3-02 (1), 3-03 (1), 4-08 (3), 4-11 (1), 6-08 (1)	orecchini	6-03 (2)
		orecchio	2-09 (3), 4-06 (1)
Nigeria	8-04 (1)	orologi	7-02 (1)
no	1-07 (20), 1-11 (3), 3-09 (3), 4-01 (11), 4-08 (2), 7-05 (3), 7-06 (2)	orologio	2 05 (2), 7-07 (?)
		orso	3-06 (1), 3-09 (1), 8-06 (1), 8-12 (1)
noi	7-11 (3), 7-12 (3), 8-02 (7)	ospedale	8-09 (6), 8-10 (18), 8-12 (2)
nome	6-07 (2)	ostacolo	7-10 (1)
non	1-07 (18), 1-08 (2), 1-09 (5), 1-11 (3), 2-02 (14), 2-05 (1), 2-06 (27)…	ottanta	4-03 (1)
		ottantacinque	4-03 (1), 4-11 (1)
Nord America	8-04 (1)	ottantasei	4-03 (1)
notte	3-10 (1), 7-04 (6)	ottantasette	5-04 (1)
novanta	4-03 (1)	otto	1-04 (3), 1-11 (1), 3-05 (1), 3-10 (5), 4-03 (1), 5-01 (6), 8-01 (2)
novantacinque	4-03 (1), 4-11 (1), 5-04 (1)		
nove	1-04 (2), 3-05 (2), 3-10 (2), 4-03 (1), 5-01 (2), 5-12 (1), 8-01 (5)	ottocentoquarantatré	
			5-04 (1), 5-12 (1)
novecentosessantadue		ottocentotrentaquattro	
	5-04 (1)		5-04 (1), 5-12 (1)
novecentoventisei		padre	4-01 (1), 4-07 (9), 5-02 (1), 6-06 (2), 6-10 (1), 6-12 (2), 7-01 (6), 8-06 (2), 8-11 (1), 8-12 (1)
	5-04 (1)		
novemilacentoventicinque			
	5-04 (1)	paese	8-04 (14), 8-12 (3)
numeri	8-01 (6)	pagliacci	5-10 (3)
numero	1-06 (8), 2-03 (4), 2-08 (1), 3-02 (2), 7-08 (2), 7-09 (2), 8-01 (40), 8-07 (1), 8-12 (8)	pagliaccio	3-01 (4), 3-03 (2), 3-11 (2), 5-08 (3), 5-10 (3), 5-12 (4), 6-01 (2), 6-05 (2), 6-06 (2), 7-01 (2)
nuotando	1-02 (4), 1-10 (3), 2-06 (3), 3-06 (2), 4-08 (1), 5-03 (1), 7-03 (3), 7-10 (2)	pagnotta	3-02 (1)
		pagnotte	3-02 (2), 6-04 (1)
		paia	6-09 (3)
nuotano	2-01 (1)	paio	6-04 (7), 6-09 (5)
nuotare	5-08 (1)	pala	4-06 (2), 7-01 (1)
nuotatore	7-03 (1)	palla	1-01 (3), 2-01 (11), 2-03 (4), 2-05 (7), 2-08 (1), 3-05 (1), 4-08 (4), 5-03 (1), 6-02 (3), 6-08 (5), 7-07 (1), 7-09 (2)
nuotatrice	7-03 (2)		
nuova	1-03 (5), 1-07 (3), 1-11 (3)		
nuvole	5-06 (1), 7-09 (2), 7-12 (2)		
occhi	1-05 (1), 2-09 (1), 3-09 (1), 4-02 (8)	palle	1-06 (1), 1-08 (1), 2-05 (4), 2-07 (2), 3-05 (3)
occhiali	1-09 (2), 2-08 (2), 3-01 (4), 3-03 (2), 3-11 (6), 4-10 (2), 6-04 (2), 7-02 (1)		
		palloncini	3-02 (2), 5-09 (3), 6-09 (2), 7-09 (2)
occhio	1-05 (1), 2-09 (2), 2-11 (1)	palloncino	6-07 (4)
occupata	7-09 (1)	panchina	5-08 (1), 5-10 (1)
odorando	4-06 (4)	pane	1-08 (5), 1-10 (5), 1-11 (2), 2-10 (4),

	3-02 (4), 3-08 (1), 3-11 (1), 5-06 (2), 5-07 (1), 6-04 (3), 6-11 (1), 7-02 (1), 7-11 (4)
panificio	8-09 (5), 8-10 (2)
pantaloni	1-09 (3), 1-11 (1), 3-03 (9), 3-11 (2)
paracadute	4-10 (2)
parata	4-06 (1)
parcheggiare	2-05 (1)
parcheggiata	4-09 (2)
parcheggiate	4-09 (1), 8-05 (1)
parcheggio	7-04 (1)
parco	4-05 (2), 6-01 (2)
parecchi	3-02 (1), 5-07 (2), 8-03 (2)
parete	3-09 (2)
parla	2-01 (1), 2-11 (1), 6-07 (1)
parlando	4-04 (22), 6-05 (4), 6-07 (1), 6-08 (2), 8-02 (3)
parlare	4-04 (12), 4-11 (4)
parte	7-05 (6), 7-07 (8), 7-08 (4), 7-09 (9), 8-03 (4), 8-12 (2)
partecipato	5-10 (1)
parteciperà	5-10 (1)
passano	8-05 (1)
passeggiare	5-02 (4), 5-05 (1)
passi	8-10 (12), 8-12 (4)
patatine	6-04 (1)
pattinando	7-03 (1)
pattinatrice	7-03 (2)
pattini	7-03 (1)
paura	3-08 (2), 6-11 (3)
pavimento	3-09 (2), 5-10 (2)
pecora	3-06 (3), 3-11 (2), 8-08 (1)
pecore	3-06 (1), 5-07 (1), 8-08 (1)
pelle	6-03 (16)
penna	2-05 (1), 7-10 (2)
pensando	5-10 (2)
per	2-07 (6), 5-01 (3), 5-02 (4), 5-08 (6), 6-09 (1), 7-01 (1), 7-02 (4), 7-04 (1), 7-10 (6), 7-12 (3), 8-10 (56), 8-12 (4)
perché	4-04 (4), 4-11 (4), 5-10 (2)
pere	1-08 (1), 5-07 (2)
pericoloso	8-07 (4)
persona	2-02 (9), 2-03 (2), 2-09 (1), 2-11 (2), 3-01 (2), 3-03 (2), 3-09 (2), 3-11 (2), 4-10 (2), 5-09 (2), 6-01 (2), 6-03 (6), 6-10 (2), 7-02 (4), 7-05 (1), 7-06 (6), 7-09 (2), 7-12 (1), 8-01 (16), 8-04 (3)
persone	2-02 (2), 2-08 (4), 2-11 (2), 3-02 (8),

	3-11 (4), 4-01 (2), 4-07 (5), 5-09 (8), 6-05 (8), 6-06 (2), 6-10 (4), 6-12 (4), 7-02 (1), 7-05 (8), 7-06 (19), 7-07 (4), 7-08 (2), 7-09 (11), 7-12 (3), 8-03 (4), 8-05 (4), 8-08 (4), 8-12 (4)
pertiche	7-10 (3)
pescando	6-06 (2), 8-11 (2)
pesce	1-02 (1), 1-03 (1), 1-07 (1), 2-02 (3), 2-03 (1), 3-06 (1), 4-01 (1), 7-06 (2)
pesci	2-08 (1), 3-06 (1), 6-04 (1), 7-06 (2)
pettinando	2-09 (2)
pianeta	8-04 (3)
piangendo	5-10 (2)
piano	4-06 (2), 4-11 (2), 5-08 (3), 6-05 (2), 6-10 (1), 6-12 (1), 8-02 (2), 8-12 (2)
pianta	4-04 (1), 5-07 (5), 5-12 (1)
piante	5-07 (4), 5-12 (1), 7-02 (1)
piatti	1-06 (5), 6-09 (1), 6-12 (1), 7-05 (1)
piatto	1-06 (8), 1-08 (2), 2-08 (1), 4-08 (2), 4-11 (2), 5-05 (3)
Picasso	5-03 (2)
piccola	2-03 (10), 2-08 (1), 2-11 (2), 4-09 (1), 5-02 (1), 5-06 (1), 6-06 (2), 8-11 (2), 8-12 (2)
piccoli	8-03 (6), 8-12 (4)
piccolo	2-03 (8), 2-04 (13), 2-11 (4), 5-02 (1), 8-06 (1)
piede	4-02 (1), 6-11 (2), 7-08 (2)
piedi	2-07 (8), 2-09 (2), 2-11 (4), 3-04 (2), 4-02 (10), 4-07 (2), 4-11 (4), 5-09 (1), 6-05 (1), 6-07 (7), 7-04 (1), 7-09 (4), 8-01 (4), 8-02 (5), 8-05 (3)
piegate	4-02 (2)
piena	3-07 (2), 5-11 (1), 6-04 (2), 7-08 (4), 8-05 (2)
pieni	6-04 (1)
pieno	3-07 (2), 5-11 (1), 6-01 (2), 6-04 (5), 6-12 (1), 7-08 (13), 8-05 (1)
pioli	4-05 (1), 6-06 (2), 6-08 (2), 7-10 (1), 8-11 (2)
piscina	7-04 (1), 7-12 (1)
più	2-04 (24), 2-11 (4), 3-02 (7), 3-11 (3), 5-01 (10), 5-09 (6), 5-12 (6), 6-05 (8), 6-06 (1), 8-02 (7), 8-07 (31), 8-08 (8), 8-12 (2)
piuttosto	8-07 (1)
plastica	6-04 (2), 6-12 (1)
po'	3-10 (3), 7-11 (1)

poco	5-09 (1)	primi	8-01 (3)	
poi	8-10 (25), 8-12 (4)	primo	8-01 (9), 8-12 (2)	
polizia	3-08 (1), 6-11 (1), 8-09 (2), 8-10 (12)	principe	6-07 (2)	
poliziotto	3-08 (1), 6-11 (1), 6-12 (1)	propria	5-02 (1), 6-06 (1), 8-11 (1), 8-12 (1)	
poltrone	2-08 (1), 3-02 (1), 5-08 (1), 6-10 (1),	prosegua	8-10 (70), 8-12 (8)	
	7-07 (1)	protettivo	2-06 (2), 7-02 (2)	
pomeriggio	3-10 (1)	pulendo	8-05 (2)	
pomodori	1-08 (2), 1-11 (1), 3-02 (3), 6-04 (1),	può	4-04 (10), 4-11 (4), 7-10 (1)	
	7-02 (1)	quaderno	6-01 (2)	
pomodoro	6-04 (1)	quadrata	2-05 (3), 7-07 (1)	
ponte	4-09 (4), 7-04 (2), 7-09 (2), 8-05 (3)	quadrati	7-07 (2), 8-03 (2), 8-12 (2)	
ponti	8-05 (1), 8-12 (1)	quadrato	2-04 (12), 2-05 (1), 2-11 (2), 7-07	
pony	4-01 (2), 5-05 (1)		(10), 8-03 (2)	
porta	1-09 (30), 1-10 (5), 1-11 (4), 2-06	quadri	3-09 (2)	
	(18), 2-10 (1), 3-01 (4), 3-03 (31),	quadro	3-09 (5), 3-11 (2)	
	3-11 (6), 4-06 (2), 4-08 (6), 5-02 (1),	qual	3-05 (2)	
	5-05 (1), 5-06 (1), 6-03 (6), 6-06 (4),	qualche	7-02 (1)	
	7-02 (4), 7-05 (1), 7-07 (2), 7-09 (2),	qualcosa	2-05 (2), 4-08 (5), 4-11 (1), 5-05 (1),	
	8-06 (2)		5-10 (2), 6-02 (2)	
portabagagli	6-02 (2), 6-12 (2)	qualcuno	3-07 (2), 4-08 (18), 4-09 (1), 4-11	
portando	4-08 (2), 5-05 (1), 7-02 (8), 7-12 (2)		(2), 5-02 (1), 5-05 (3), 5-08 (5), 6-06	
portano	1-09 (7), 1-10 (3), 1-11 (6), 3-03 (1),		(1), 6-08 (1), 6-10 (1), 6-11 (1), 7-02	
	3-04 (2), 4-06 (2), 4-08 (3), 6-05 (4),		(1), 7-03 (1), 7-06 (1), 7-08 (5), 7-12	
	7-02 (8), 7-05 (1), 7-07 (2), 7-12 (1),		(1), 8-06 (4)	
	8-06 (1)	quale	1-10 (8), 3-01 (4), 3-04 (2), 3-05 (2),	
portatile	4-04 (1), 5-03 (3), 5-12 (3)		3-06 (4), 3-09 (4), 3-11 (8), 4-04 (6),	
portava	6-06 (3), 8-11 (1), 8-12 (1)		6-03 (4), 7-02 (4), 7-08 (6), 8-07 (4)	
portavo	8-11 (1), 8-12 (1)	quali	3-04 (2), 8-05 (3)	
porte	7-08 (7)	quando	5-06 (2), 8-10 (4)	
portiamo	8-02 (5)	quante	3-02 (6), 3-04 (2), 3-11 (1)	
portiera	4-02 (2)	quanti	3-04 (6)	
porto	5-11 (1), 6-11 (2), 7-11 (1), 8-11 (3),	quantità	5-09 (2)	
	8-12 (3)	quaranta	4-03 (1)	
posate	6-09 (1), 6-12 (1)	quarantacinque	3-10 (1), 3-11 (1)	
possiamo	5-09 (4)	quarantadue	4-03 (1)	
possono	4-01 (1), 4-04 (2)	quarantasei	4-03 (1)	
posto	3-08 (1), 6-11 (1)	quarantatré	5-04 (1)	
pranzo	6-09 (1)	quarta	8-01 (2)	
preleva	3-08 (1)	quarto	3-10 (6), 3-11 (1), 8-01 (5),	
prende	2-01 (4), 3-08 (2)		8-12 (1)	
prendendo	5-05 (6), 7-01 (2), 7-10 (1), 7-12 (1)	quasi	8-03 (8), 8-05 (1), 8-08 (1)	
prenderà	5-03 (1)	quattordici	4-03 (1)	
prendere	4-06 (1), 7-09 (1), 7-10 (3), 7-12 (1)	quattro	1-04 (14), 1-06 (7), 1-11 (2), 2-09	
preparando	6-08 (1)		(2), 3-04 (1), 3-05 (1), 3-06 (1), 3-09	
preso	5-03 (1), 7-10 (2)		(5), 3-10 (1), 4-02 (2), 4-03 (1), 4-07	
prigione	8-09 (1)		(2), 5-01 (14), 5-09 (3), 5-12 (2),	
prima	8-01 (4)		6-05 (2), 6-07 (2), 7-02 (4), 8-01 (1),	
primavera	7-04 (3)		8-02 (2), 8-10 (12)	

quattrocentocinquantadue	5-04 (1)	ragazzo	1-01 (3), 1-02 (1), 1-09 (3), 1-10 (6), 1-11 (2), 2-01 (4), 2-06 (6), 3-03 (1), 3-04 (2), 4-05 (2), 4-06 (1), 4-08 (1), 5-02 (1), 5-05 (3), 5-10 (4), 5-12 (1), 6-01 (6), 6-02 (10), 6-06 (2), 6-08 (3), 7-01 (4), 7-03 (1), 7-08 (2), 7-12 (3)
quattrocentoventicinque	5-04 (1)		
quella	4-09 (2), 7-08 (2)		
quelli	8-03 (4), 8-12 (2)		
quello	5-10 (1)		
quest'	2-05 (2), 2-06 (2), 2-08 (4), 3-06 (2), 3-08 (2), 4-04 (2), 4-09 (1), 5-10 (2), 5-12 (2), 6-01 (2), 6-03 (6), 6-05 (1), 6-10 (1), 7-02 (2), 7-06 (4), 7-07 (3), 7-12 (2), 8-06 (4), 8-07 (7), 8-12 (4)	rapidamente	7-03 (1)
		rastrello	2-01 (1), 6-01 (2), 7-01 (3)
		Reagan	6-07 (5)
		recinto	2-07 (1), 2-08 (1), 4-06 (1)
		Regno Unito	8-04 (1)
questa	1-07 (2), 1-10 (4), 2-05 (6), 2-06 (10), 2-08 (3), 3-01 (2), 3-07 (2), 3-09 (5), 3-11 (1), 4-02 (2), 4-04 (4), 4-05 (4), 4-09 (1), 4-10 (2), 5-02 (2), 5-06 (2), 5-08 (4), 5-09 (4), 5-12 (2), 6-01 (7), 6-02 (10), 6-03 (12), 6-05 (5), 6-06 (3), 6-07 (2), 6-10 (1), 6-12 (4), 7-02 (4), 7-06 (4), 7-07 (2), 7-10 (1), 8-04 (22), 8-05 (4), 8-06 (6), 8-07 (1), 8-08 (2), 8-10 (16), 8-12 (8)	resta	7-03 (1)
		restano	7-03 (1)
		rettangolare	2-05 (2)
		rettangolo	2-04 (16), 7-07 (12)
		ricci	3-01 (5)
		ricco	3-07 (1), 3-08 (1), 5-11 (1), 6-11 (1)
		ricreazione	8-09 (11), 8-10 (10)
		ride	2-01 (3)
		ridendo	4-04 (1), 5-03 (1)
		rimorchio	4-09 (1)
		riparando	3-08 (1), 6-11 (1)
		ristorante	8-09 (4), 8-10 (4)
queste	1-10 (1), 1-11 (1), 3-06 (2), 4-04 (4), 4-07 (5), 6-01 (1), 6-05 (9), 6-10 (1), 6-12 (3), 7-05 (3), 7-06 (18), 7-09 (3), 7-12 (4), 8-03 (8)	Ronald	6-07 (4)
		rosa	1-03 (1), 1-07 (2), 1-11 (1), 3-05 (3), 3-11 (2), 7-04 (4)
questi	2-10 (1), 3-04 (2), 3-09 (1), 3-11 (1), 4-04 (2), 4-06 (2), 5-10 (3), 6-01 (1), 6-03 (2), 6-12 (2), 7-02 (3), 7-05 (3), 7-06 (8), 7-09 (2), 7-12 (2)	rossa	1-03 (3), 1-07 (7), 1-08 (1), 1-09 (1), 1-10 (2), 1-11 (1), 3-03 (2), 3-05 (1), 4-09 (9), 4-11 (1), 5-10 (1), 5-11 (1), 6-03 (1), 7-01 (1), 7-05 (2), 8-08 (4)
questo	1-10 (5), 1-11 (3), 2-06 (8), 2-08 (2), 2-09 (2), 3-01 (4), 3-04 (8), 3-06 (3), 3-09 (2), 3-11 (4), 4-04 (2), 4-05 (2), 5-03 (2), 5-09 (2), 5-10 (3), 6-01 (1), 6-06 (8), 6-07 (2), 7-02 (4), 7-03 (4), 7-07 (2), 7-12 (2), 8-03 (4), 8-04 (9), 8-06 (2), 8-07 (5)	rosse	1-08 (2), 4-09 (1), 5-09 (2), 7-05 (1), 8-03 (1)
		rossi	1-03 (1), 1-08 (1), 1-10 (1), 3-05 (1), 3-11 (1), 5-11 (1), 6-03 (1), 7-05 (3), 8-03 (4)
		rosso	1-03 (1), 1-07 (2), 1-09 (2), 1-11 (1), 2-01 (1), 2-04 (12), 2-11 (2), 3-01 (2), 3-03 (6), 3-05 (3), 3-11 (1), 4-04 (1), 4-09 (1), 4-10 (1), 5-03 (1), 5-12 (1), 6-03 (1), 6-06 (2), 6-10 (1), 6-12 (1), 7-03 (1), 7-04 (3), 7-05 (1), 7-09 (1), 8-03 (1), 8-04 (21), 8-12 (4)
quindici	1-06 (1), 3-10 (1), 4-03 (1), 5-01 (1)		
raccogliendo	5-10 (2)		
raccoglierà	5-03 (1)		
raccolto	5-03 (1)		
radiotelefono	4-04 (1)		
ragazza	1-01 (2), 1-02 (1), 1-06 (1), 2-01 (2), 2-06 (4), 2-07 (1), 3-05 (1), 5-02 (1), 7-01 (1), 7-12 (1)	rotaie	8-05 (3)
		rotelle	8-05 (2)
		rotoli	6-04 (1), 6-12 (1)
ragazze	4-04 (1), 7-02 (1)	rotolo	6-04 (4)
ragazzi	1-06 (1), 3-02 (1), 7-01 (2), 7-02 (2)	rotonda	2-05 (3), 7-07 (2)

rotondo	2-05 (1), 7-07 (4)	scaldando	5-10 (1)
ruota	2-03 (8)	scale	4-05 (6), 4-06 (2), 5-05 (1), 6-02 (8),
ruote	7-02 (1)		6-07 (4), 6-10 (3)
russe	6-09 (1)	scarpa	1-09 (1), 3-03 (2), 5-10 (1), 5-12 (1)
Russia	8-04 (2), 8-12 (2)	scarpe	1-09 (3), 3-03 (1), 6-04 (1)
sabbia	4-10 (2), 5-09 (2), 5-12 (2)	scatola	2-03 (2), 2-11 (2), 4-10 (2), 6-01 (2)
sacchetti	1-08 (1), 1-11 (1), 6-04 (1)	scatole	5-05 (2)
sacchetto	6-02 (2), 6-04 (10), 6-12 (3)	scavando	6-06 (2), 6-12 (2), 7-01 (1), 8-05 (2),
sale	4-06 (2)		8-11 (2)
salendo	4-05 (10), 4-06 (2), 4-09 (2), 5-05	scende	6-09 (1)
	(1), 6-02 (4), 6-06 (1), 6-07 (2),	scendendo	4-05 (8), 6-02 (2), 6-07 (1), 6-10 (2),
	6-08 (1), 7-01 (1), 7-09 (4), 7-10 (1),		7-09 (4)
	7-12 (1), 8-11 (1)	scenderà	6-02 (1)
salirà	6-02 (3), 6-07 (1)	sceso	5-03 (1), 6-02 (1), 6-07 (1)
salito	5-03 (1), 6-02 (1), 6-06 (1), 6-08 (1),	sciando	7-03 (4)
	8-11 (1)	sciarpe	5-06 (1)
salta	1-06 (1), 2-01 (1), 4-10 (2)	sciatore	7-03 (5)
saltando	1-02 (9), 1-05 (2), 1-07 (8), 1-10 (2),	scienziata	3-08 (1), 6-11 (1), 6-12 (1)
	1-11 (1), 2-06 (2), 2-07 (1), 2-10 (9),	scivolando	6-02 (1), 7-10 (1)
	2-11 (2), 3-04 (13), 4-01 (7), 4-08	scivolato	6-02 (1)
	(4), 4-10 (4), 5-02 (1), 5-03 (1),	scivolerà	6-02 (1)
	5-11 (1), 6-02 (2), 6-06 (2), 7-10 (2),	scodella	2-08 (3)
	7-11 (10), 7-12 (3), 8-11 (2)	scodelle	2-08 (1)
saltano	1-06 (2), 2-10 (1), 2-11 (1), 5-03 (1)	scopa	8-05 (1)
saltare	3-04 (2), 7-10 (1), 8-07 (1)	scrivania	5-08 (1)
saltati	6-07 (2)	scrive	2-01 (1), 4-06 (2), 4-11 (1)
saltato	2-10 (7), 2-11 (2), 5-03 (3), 6-02 (1),	scrivendo	3-08 (1), 3-11 (1), 4-10 (2), 4-11 (2),
	7-03 (1), 7-10 (2), 7-11 (6), 7-12 (2)		6-02 (1), 6-11 (1), 7-08 (2)
salterà	2-10 (4), 2-11 (1), 5-03 (1), 6-02 (2),	scriverà	6-02 (1)
	7-10 (2), 7-11 (1), 7-12 (1)	scrivere	7-10 (1)
salteranno	2-10 (1), 2-11 (1), 5-03 (1), 7-11 (1)	scuola	8-10 (4)
salteremo	7-11 (1), 7-12 (1)	scura	6-03 (8)
salterò	7-11 (4)	scure	1-09 (1)
salvietta	6-04 (1)	scuri	1-09 (1)
salviette	6-04 (3), 6-12 (1)	scuro	8-07 (1)
Sandra	6-07 (4)	seconda	8-01 (4)
sano	3-07 (1), 5-11 (1)	secondo	8-01 (8), 8-12 (1)
sarà	7-01 (1)	sedersi	5-08 (2), 8-07 (1)
sassofono	5-08 (1)	sedia	4-07 (2), 5-08 (2), 6-08 (1), 7-09 (2),
Saturno	8-04 (3)		8-05 (2), 8-07 (1)
sbadigliando	5-10 (2), 6-06 (4)	sedici	4-03 (1), 5-01 (1)
scacchi	4-04 (1)	sedie	2-07 (1), 5-08 (1), 5-09 (2), 7-09 (3)
scacchiera	6-09 (1), 6-12 (1)	seduta	1-05 (1), 1-07 (2), 2-01 (1), 4-07 (4),
scaffale	2-08 (1)		4-10 (2), 5-06 (1), 6-08 (2), 7-09 (3)
scala	4-05 (5), 6-06 (2), 6-08 (2), 6-09 (1),	sedute	1-07 (2), 7-09 (2), 8-01 (4)
	7-10 (1), 8-11 (2)	seduti	1-05 (1), 2-07 (11), 2-11 (2), 3-04
scalando	7-10 (1)		(2), 4-01 (1), 4-08 (1)
scalare	7-10 (1)	seduto	1-10 (2), 2-06 (4), 2-07 (4), 2-11 (1),

77

	3-04 (1), 4-09 (2), 7-07 (1), 7-09 (7), 7-12 (1)
sottomarino	4-09 (1)
Spagna	8-04 (1), 8-12 (1)
spalla	5-05 (1)
spaziali	7-02 (2)
spazzola	4-06 (2), 4-11 (1)
spazzolando	2-09 (2), 3-05 (1), 4-06 (1)
spingendo	5-05 (9)
splende	5-06 (2)
sportiva	4-09 (1)
sta	1-02 (33), 1-05 (6), 1-07 (16), 1-08 (16), 1-10 (30), 1-11 (3), 2-05 (7)…
stai	5-11 (1)
stanca	3-07 (5), 5-10 (1), 5-11 (4), 5-12 (2)
stanchi	3-07 (6), 3-11 (2), 5-10 (3), 5-11 (7), 5-12 (2)
stanco	3-07 (3), 5-10 (2), 5-11 (3), 5-12 (3)
stanno	1-02 (7), 1-05 (6), 1-07 (8), 1-08 (1), 1-10 (2), 1-11 (3), 2-05 (1), 2-06 (2), 2-07 (9), 2-10 (2), 2-11 (2), 3-04 (13), 3-06 (2), 3-08 (1), 3-11 (1), 4-01 (15), 4-04 (5), 4-05 (3), 4-08 (5), 4-09 (1), 5-02 (1), 5-03 (1), 5 05 (5), 5-08 (1), 5-09 (1), 5-10 (1), 6-05 (16), 6-06 (2), 6-07 (1), 6-08 (1), 6-10 (3), 6-12 (3), 7-01 (6), 7-02 (4), 7-03 (3), 7-05 (1), 7-06 (7), 7-09 (9), 7-10 (5), 7-11 (1), 7-12 (1), 8-01 (4), 8-05 (5), 8-08 (4), 8-11 (1), 8-12 (2)
starnutendo	5-10 (2)
Stati Uniti d'America	
	8-04 (1)
stato	5-03 (2), 7-01 (1)
statua	3-09 (2), 6-03 (2), 7-03 (1), 7-09 (2)
stava	6-06 (8), 6-12 (1)
stavamo	8-11 (2)
stavano	6-06 (3), 6-12 (1)
stavo	8-11 (5)
stazione	8-09 (7), 8-10 (40), 8-12 (4)
stessa	4-07 (3), 5-09 (2)
stesso	3-02 (2)
stiamo	5-11 (2), 6-11 (1), 7-11 (4), 7-12 (2), 8-02 (12), 8-11 (2), 8-12 (2)
stivali	6-04 (2)
sto	5-11 (2), 6-11 (5), 7-11 (13), 8-02 (9), 8-11 (15), 8-12 (2)

strada	6-02 (2), 7-03 (1), 7-04 (1), 7-09 (2), 8-05 (24), 8-09 (15), 8-10 (20), 8-12 (8)
stringe	6-07 (1)
strisce	8-07 (2)
strumenti	5-08 (4)
studentessa	3-08 (1), 6-11 (1)
studenti	3-08 (2), 3-11 (2), 6-11 (1)
stufa	5-06 (1)
stuoia	5-05 (5)
su	1-01 (7), 1-05 (1), 1-07 (2), 1-10 (1), 1-11 (2), 2-08 (1), 3-06 (2), 3-09 (4), 4-07 (6), 4-08 (1), 4-09 (2), 4-10 (2), 5-09 (6), 6-07 (4), 7-02 (1), 8-04 (20), 8-05 (2), 8-07 (2), 8-10 (14), 8-12 (8)
sua	2-05 (7), 2-09 (1), 3-08 (1), 3-09 (6), 4-02 (6), 4-07 (12), 5-02 (1), 5-09 (2), 6-06 (1), 6-08 (2), 6-10 (4), 7-09 (2)
succo	1-08 (1), 6-04 (2), 7-06 (1), 7-08 (1), 7-12 (1)
Sud America	8-04 (1)
sue	2-09 (3), 3-09 (4), 4-02 (2), 4-06 (1)
sugli	7-04 (2), 7-12 (1)
sui	3-08 (1), 6-11 (1)
sul	1-10 (1), 2-07 (9), 2-08 (6), 2-09 (4), 3-04 (5), 3-09 (3), 4-06 (1), 4-08 (3), 4-09 (3), 4-11 (2), 5-02 (1), 5-03 (2), 6-01 (7), 6-05 (4), 6-07 (2), 6-10 (1), 8-02 (2), 8-05 (7), 8-07 (1), 8-12 (1)
sull'	4-05 (1), 5-06 (1), 6-08 (1), 7-10 (1)
sulla	1-10 (2), 2-06 (1), 2-07 (4), 2-08 (2), 2-09 (4), 3-09 (4), 4-06 (1), 4-09 (1), 5-06 (1), 5-10 (1), 6-08 (5), 6-10 (1), 7-01 (1), 7-04 (6), 7-12 (1), 8-11 (2)
sulle	1-05 (1), 2-07 (1), 2-09 (2), 3-09 (2), 6-10 (1), 7-02 (2), 7-09 (2)
sullo	3-05 (4)
suo	2-09 (1), 3-08 (1), 3-09 (1), 4-01 (2), 4-07 (11), 4-11 (1), 5-02 (12), 5-05 (2), 5-10 (1), 5-12 (1), 6-10 (2), 8-06 (3)
suoi	3-09 (1), 4-02 (1), 4-07 (1), 4-10 (4), 6-05 (1), 6-10 (1), 7-01 (2)
suolo	2-08 (2), 6-07 (2), 8-07 (2), 8-12 (2)
suona	4-06 (2), 4-11 (2), 5-08 (4), 6-10 (1), 6-12 (1)
suonando	2-05 (1), 4-01 (3), 4-11 (1), 5-08 (4),

	6-05 (4), 6-06 (2), 8-02 (4), 8-11 (2), 8-12 (4)
supermercato	8-09 (1)
sveglio	4-05 (2), 4-11 (2)
tagliando	2-10 (2), 7-11 (2)
tagliato	2-10 (2), 7-11 (1)
taglierà	2-10 (1)
taglierò	7-11 (1)
tamburi	5-08 (2), 6-05 (2), 8-02 (2), 8-06 (1), 8-12 (2)
tanti	3-02 (2), 3-11 (1)
Tanzania	8-04 (1)
tappeto	6-03 (1)
tartaruga	3-06 (1)
tasca	5-03 (1), 5-10 (1), 5-12 (1)
tavoli	3-02 (1), 4-08 (1), 5-08 (1), 5-09 (2)
tavolo	1-01 (3), 1-08 (2), 1-10 (4), 1-11 (2), 2-07 (5), 2-08 (2), 2-09 (3), 3-04 (7), 4-08 (1), 5-02 (1), 5-03 (3), 5-08 (2), 6-01 (4), 6-10 (1), 7-07 (1)
tazza	2-08 (1)
telefoni	7-09 (2)
telefono	2-01 (1), 2-05 (2), 2-06 (4), 2-11 (4), 4-04 (5), 5-03 (4), 5-12 (4), 6-05 (3), 8-02 (3)
televisione	4-06 (6)
televisore	2-03 (1)
tempio	8-09 (1)
tenda	2-03 (1), 4-08 (2)
tenendo	5-08 (1), 5-10 (1), 6-08 (1), 6-12 (1), 7-09 (1), 8-11 (4)
teneva	6-01 (1), 6-06 (1)
terra	2-07 (6), 5-09 (2), 7-01 (1), 7-02 (4), 7-04 (1), 7-12 (1), 8-08 (3)
terriccio	7-01 (2)
terza	8-01 (4)
terzo	8-01 (7), 8-12 (1)
testa	2-06 (2), 2-07 (2), 2-09 (4), 3-09 (4), 5-05 (1), 5-10 (1), 5-11 (1), 5-12 (1), 6-01 (4), 6-06 (2), 6-08 (2), 7-05 (2), 7-09 (3), 7-12 (2), 8-11 (4)
teste	7-05 (1), 7-12 (1)
tiene	2-05 (4), 2-09 (2), 4-06 (5), 4-11 (2), 5-03 (1), 5-05 (2), 5-08 (1), 5-12 (1), 6-01 (1), 6-06 (1), 6-07 (2), 7-09 (1)
tigre	3-06 (4), 8-07 (1)
tipi	5-07 (10), 5-12 (3)
tipo	5-07 (21)

tira	5-10 (1)
tirando	5-03 (1), 5-05 (5), 5-12 (1), 7-01 (1)
toccando	2-09 (5), 2-11 (4), 4-06 (2), 4-08 (2)
toccato	6-07 (2)
torni	8-10 (4)
toro	1-02 (1), 2-01 (2), 7-03 (1), 7-10 (2)
tossendo	5-10 (1)
tra	2-08 (4), 2-11 (2), 4-06 (1), 5-09 (1), 7-04 (2), 8-05 (2), 8-11 (1), 8-12 (1)
traffico	8-10 (4)
trainando	4-09 (3), 4-11 (2)
tram	4-09 (1)
tramonto	7-04 (1)
trattore	2-07 (2), 8-05 (1)
tre	1-04 (18), 1-06 (5), 1-11 (2), 2-02 (3), 2-09 (2), 3-04 (3), 3-05 (1), 3-06 (1), 3-09 (2), 3-10 (2), 4-03 (1), 4-04 (1), 4-07 (2), 4-08 (1), 5-01 (9), 5-02 (1), 5-09 (4), 5-12 (1), 6-04 (1), 6-05 (2), 6-07 (2), 7-01 (1), 8-01 (6), 8-02 (2), 8-03 (1), 8-10 (7), 8-12 (2)
trecentocinquantadue	
	5-04 (1)
trecentotré	7-09 (2)
trecentoventicinque	
	5-04 (1)
tredici	4-03 (1)
tremilacentoventicinque	
	5-04 (1)
treno	4-09 (1), 7-09 (2), 8-05 (1)
trenta	1-06 (1), 4-03 (1)
trentadue	4-03 (1)
trentaquattro	5-04 (1)
trentasei	5-04 (1)
trentasette	5-04 (1)
trentotto	5-04 (1)
triangoli	7-07 (2), 8-03 (11), 8-12 (4)
triangolo	2-04 (4), 7-07 (2), 8-03 (5)
triste	3-07 (1), 5-10 (3)
tristi	3-07 (1)
troppe	5-09 (4)
troppi	5-09 (7)
troppo	5-02 (2), 6-06 (2), 8-11 (2), 8-12 (2)
tu	5-11 (1)
tute	7-02 (2)
tutte	2-05 (1), 2-11 (1), 6-05 (4), 6-12 (2),

	7-01 (1), 7-02 (1), 7-05 (4), 7-06 (7),	uscirà	6-02 (1), 7-01 (1), 7-12 (1)
	7-07 (2), 7-12 (2), 8-03 (2), 8-08 (1)	uscito	4-05 (1), 7-01 (1), 7-12 (1)
tutti	4-08 (7), 5-09 (1), 6-05 (1), 7-05 (9),	userà	5-03 (1), 5-12 (1)
	7-06 (2), 7-07 (4), 7-11 (2), 7-12 (2),	uva	1-08 (1), 5-07 (2), 6-04 (2), 6-09 (4)
	8-02 (5), 8-03 (13), 8-07 (8), 8-12 (6)	va	2-01 (2), 4-10 (2), 7-03 (4), 8-05 (4),
uccelli	1-05 (1), 2-01 (3), 5-09 (1), 7-02 (2),		8-12 (3)
	7-05 (1), 8-05 (2)	vada	8-10 (28), 8-12 (4)
uccello	1-02 (2), 1-03 (1), 1-05 (1), 1-07 (1),	vanno	2-07 (3), 6-05 (1), 8-05 (2)
	1-10 (1), 2-01 (1), 3-06 (4), 3-07 (2),	vassoio	5-09 (2)
	5-03 (4), 5-11 (2), 7-02 (2), 7-05 (1)	vecchia	1-03 (5), 1-07 (9), 1-10 (1), 1-11 (5),
ultima	8-01 (2)		8-07 (4)
ultimi	8-01 (3)	vecchio	8-07 (3)
ultimo	8-01 (11), 8-12 (3)	vediamo	7-04 (1), 7-09 (2)
un	1-01 (49), 1-03 (2), 1-05 (12), 1-06	vele	4-09 (1)
	(9), 1-07 (2), 1-08 (7), 1-09 (18)…	veloce	8-07 (3)
un'	1-01 (5), 1-03 (2), 1-09 (1), 1-11 (1),	velocemente	7-03 (15), 7-12 (2)
	2-02 (5), 2-03 (4), 2-08 (2), 3-03 (1),	vende	7-02 (4)
	3-08 (2), 4-09 (4), 4-10 (4), 4-11 (1),	venendo	4-05 (3)
	5-02 (2), 6-10 (4), 6-11 (1), 6-12 (1),	Venezuela	8-04 (1)
	8-05 (1), 8-09 (1), 8-12 (1)	venti	1-06 (1), 3-10 (1), 4-03 (2), 5-01 (3)
una	1-01 (15), 1-03 (8), 1-05 (6), 1-06	ventidue	4-03 (1), 6-07 (1)
	(4), 1-08 (1), 1-09 (19), 1-10 (12)…	ventisette	5-04 (1)
undici	3-10 (1), 4-03 (1), 5-01 (2), 5-12 (1)	ventitré	6-07 (1)
une	6-10 (1)	vera	3-06 (2), 3-09 (3), 3-11 (3)
uniforme	6-03 (4)	verde	1-07 (2), 1-11 (2), 2-04 (7), 3-05 (3),
unite	4-02 (2), 4-11 (1)		7-04 (1), 7-05 (1), 7-07 (2), 7-12 (1),
uniti	4-02 (5), 4-11 (2)		8-03 (1)
università	8-09 (2), 8-10 (8), 8-12 (8)	verdi	1-08 (2), 5-09 (2), 7-04 (4), 7-05 (1),
uno	1-04 (11), 1-06 (1), 1-11 (1), 2-03		7-12 (1), 8-03 (3), 8-12 (2)
	(2), 2-08 (1), 3-04 (1), 3-05 (2), 3-11	vere	3-06 (2)
	(2), 4-03 (1), 5-01 (6), 5-09 (3), 5-10	veri	3-09 (1), 3-11 (1)
	(2), 7-02 (1), 7-03 (1), 7-05 (1), 7-09	vero	3-06 (8), 3-09 (3), 3-11 (2), 8-06 (2)
	(2), 8-01 (5), 8-03 (3), 8-07 (1), 8-08	versando	6-08 (1), 8-11 (1)
	(6), 8-12 (2)	verserà	6-08 (1)
uomini	1-05 (3), 1-06 (1), 1-09 (2), 2-07 (6),	verserò	8-11 (1)
	2-11 (3), 3-02 (1), 3-04 (1), 4-04 (3),	verso	8-05 (2), 8-12 (2)
	4-06 (2), 5-05 (1), 5-10 (3), 6-03 (2),	vestendo	5-08 (2), 5-12 (2), 6-05 (2), 8-02 (1)
	6-05 (7), 6-07 (4), 6-08 (3), 6-12 (2),	vestita	5-08 (5), 5-12 (1), 6-03 (2), 6-12 (2)
	7-03 (1), 7-05 (1), 7-06 (1), 8-06 (1)	vestiti	1-09 (1), 1-11 (1), 3-03 (1), 6-03 (2),
uomo	1-01 (4), 1-02 (10), 1-03 (6), 1-05		6-12 (2), 7-02 (2), 8-06 (1)
	(2), 1-06 (1), 1-07 (2), 1-08 (8)…	vestito	1-09 (2), 1-11 (2), 3-03 (4), 5-08 (2),
uova	1-05 (1)		5-12 (1), 6-08 (3), 8-06 (1), 8-11 (3)
uovo	1-05 (1), 3-05 (4)	vesto	8-02 (1)
usando	2-06 (4), 2-11 (3), 4-10 (2), 5-03 (3),	vetro	6-04 (2)
	5-12 (3), 7-10 (10), 7-12 (2)	via	4-05 (3)
usare	4-10 (2), 7-10 (1), 7-12 (1)	vicina	8-08 (4)
usato	7-09 (1)	vicine	8-08 (2)
uscendo	4-05 (2), 7-01 (1), 7-12 (1)	vicini	8-08 (3)

vicino	8-07 (1), 8-08 (10), 8-12 (3)	volando	1-02 (2), 1-05 (2), 1-10 (4), 2-06 (2),
vicolo	8-05 (1)		3-06 (1), 5-03 (2), 7-02 (2), 7-09 (4),
viene	7-09 (1)		7-12 (6), 8-07 (6), 8-08 (2), 8-12 (5)
vietato	2-05 (4)	volano	2-01 (1), 7-02 (2), 7-12 (2)
Vietnam	8-04 (1)	volare	7-01 (6)
vincerà	5-10 (1)	volta	7-02 (1)
vinto	5-10 (1)	vuota	6-04 (2), 7-08 (2), 7-10 (2), 8-05 (1)
viola	1-09 (2), 3-03 (2), 3-05 (1), 5-06 (1)	vuote	7-09 (1)
violini	5-08 (1)	vuoto	4-08 (1), 6-04 (4), 6-12 (2), 7-08 (5),
violino	4-01 (2)		8-05 (1)
vitello	7-10 (6), 7-12 (4), 8-07 (1)	zampa	3-09 (1)
vive	7-02 (1)	zampe	2-09 (1), 3-06 (2), 3-09 (3), 7-02 (8)
vivono	7-02 (1)	zero	1-04 (1), 2-08 (1), 8-01 (10)
vola	2-01 (1)	zoccolo	4-06 (1)

Appunti

Appunti

Appunti

Appunti

Appunti

Appunti

Appunti

Appunti